魔界
默示錄

惡魔傳說
解密

劉其翔

目錄

推薦序1

末世氣氛看妖魔橫行

我對神秘學興趣的啟發是從音樂開始，搖滾樂內裡的神秘學的訊息非常多。Led Zeppelin、David Bowie等樂手的傳聞更是令樂迷津津樂道。收到若愚兄的新書初稿，第一章的內容便有27會，從六十年代開始搖滾樂手到二十七歲離奇喪命，直至現在這個詛咒依然發生在音樂人身上。另一個講及我的頭類偶像David Bowie，在創作大碟Station to Station時，他深受666魔獸Crowley的影響，甚至嘗試做不同的魔法儀式，結果出現各種異像，若愚兄寫出這個離奇的故事，令我這刻立即在家中播放這張經典大碟。

西方搖滾音樂受到中古異教、黑魔法、撒旦教的影響，究竟音樂中有否令到樂迷着魔的秘密，甚至產生校園槍擊案？這都是令到神秘學愛好者進行研究的好題目。

這本深入淺出的新書，探討東西魔鬼之說，每個章節都是令我多番細閱的文章。西方的撒旦魔鬼，東方的藏密天魔，在我們世代中妖魔橫行，末世氣氛令人處於強烈不安的感覺。這本新作可以從各個不同的奇怪異聞，令我們步進這個神秘世界中，從迷霧中看清部分真相！

關加利Gary Kwan

神秘學節目「無奇不有」主持

《深層政府 陰謀論事典》及《神秘學事典》系列作者

推薦序2

對魔的糾結

當列宇翔先生邀請我為他的新作《魔界默示錄 惡魔傳說解密》作序的時候，以我肚內的墨水，真的有點受寵若驚，但我還是把任務接下來。

之前拜讀過大作《異界默示錄 超常傳說解密》，得知道無論古籍、神話、傳說、文物與符號等等，都不約而同暗示一個超乎現今文明的神秘世界。

發現宇翔兄跟我的寫作模式有大大的不同，我只依靠自己的陰陽眼經歷，而他卻可以為了給讀者們有高層次的思維享受，跑去翻閱無數的參考資料作引證，令我真心欣賞。

而今次這本《惡魔傳說解密》就更加再下一成，擺明車馬要為讀者們進行深層次的西方惡魔解密！

惡魔我當然見過，但我可不像宇翔兄他那窮追不捨地尋找魔蹤；亦沒有去深入拆解魔宗：更多沒有以身試法去找尋魔眾，這不能不令我佩服。

我相信唯有這本書才可以為我解除心中對惡魔的糾結。

陶貓貓

陰陽眼作家

五道也可成魔

坊間上特定以魔為主題的書籍相信是比較難找得到的，因為世人很多時根本分不清妖魔鬼怪這四樣東西。多年來我一直在研究妖魔鬼怪的故事及個案，我對妖魔鬼怪這四個字持別有一份執著，原因在我的知識領域中，妖魔鬼怪本身是四個獨立的範疇，但是一般的世人通常也會把這四類的外道合為一體來看待，特別是在西方的世界，他們的觀念好像沒有我們中國人那麼的細分，往往看了很多荷里活的鬼怪片，片中的所謂鬼，其實在我眼中根本就是妖精、怪獸、惡魔等等，根本就完全不是鬼。

在佛教的六道眾生來說，其實惡魔的存在，可以在六道中其中的五道之內，天人可以成魔、阿修羅可以成魔、人可以成魔、畜生野獸可以成魔、餓鬼也可以成魔，所以魔必定比屬鬼強、比妖精強、比怪獸強，魔除了是一個實質的個體外，也可以是一個精神上的層面。記得在《頭文字d》這部漫畫中有一句經典的對白，大約如下：「什麼是神?其實神也是人，只不過神能做出一些人做不到的事情」，同樣我們將這句經典的對白引用到魔的身上，魔也是跟神一樣，他們能做到一些人做不到的事情，但是他們所做的事情都是向邪惡的方面而生起的，這個就是我個人對魔的看法。今次有幸能看到作者列宇翔以魔為主題去編寫的一部著作，相信必然能為我對有關魔的知識增進不少及大開眼界。

鬼故黃 Bow Wong

著名靈異節目主持、Youtuber

引言

魔，究竟是什麼？這問題不易回答，因為要界定魔殊非易事。

如果說的是寬鬆定義的「邪魔」，那麼此概念當必存在已久。以人本位的立場出發，但凡與人不友善的超自然存在，在人類認知觀念裡，便是邪魔（反之，與人為善的就是善神）。不過，這種劃分法未免太粗略，不大符合現今普遍意義的「魔」。

提到魔，我們很易聯想到幾個赫赫有名的名號：撒旦、別西卜、路西法，多半為基督宗教一脈的邪靈，基本上他們都站在「神」的對立面。其實，在不同宗教記載中、不同民族傳說裡，皆可發現這類與天神為敵的魔蹤。你可能認為，那只是翻譯上近似意味信手拈來的挪用，此魔不一定等於彼魔，甚或根本南轅北轍。的確，為了避免與耶教系統之魔鬼相混淆，有時我們會稱呼這類存在為「邪神」。有些神話／宗教的神靈，儘管他們的所作所為未必全善，但正因他們亦正亦邪，所以往往會被納入神靈的系統，而不用易生誤解的「魔」。

華文詞彙的「魔」乃為了翻譯而創製，最初並非用來翻譯我們熟知的devil或demon，而是用來對應佛教體系的一種生靈。後來「魔」字用來翻譯devil或demon，文意上卻幾乎沒有違和感，這種有趣現象，鮮見合理的解釋。

解構魔的特質，我們可以拆出若干屬性。魔之所以為魔，其一重要特質，就是他們總是站在善神一方的對立面，扮演永恆大反派。像基督宗教的撒旦、瑣羅亞斯德教的阿里曼。魔的另一特質，便是他們常會迷惑人墮落、阻礙人修行，誘使人偏離主流道德行為標準。像耶教的魔鬼、伊斯蘭教的易卜劣斯、祆教的德弗、佛教魔羅、道教的天魔等等。符合

這兩大條件的邪靈，倘用「魔」來標籤，一般也錯不了哪裡，雖不中亦不遠。

還有一個現象是宗教轉移，你的神靈我斥為魔，雙方互相詆毀對方的神祇。譬如瑣羅亞斯德教的惡魔德弗（Daeva），在印度教被視為善神提婆（Deva）；而創世神阿胡拉（Ahura），在印度神話卻變為惡魔阿修羅（Asura）。又例如迦南地帶的豐饒神巴力，在耶教中便變成大惡魔。

誠然，生活在不同信仰體系的民眾，對魔的概念難免有所差異。比如說當華人「撞邪」，大部分人會認為自己見鬼；但傳統基督宗教不承認人的靈魂在死後可四處奔波，所以每逢有人「撞邪」，該教信徒大多把個案一律視之為「著魔」。反過來說，成長於「泛靈論」社會的人，則不會輕易把靈異個案扯到「魔」的層面上頭，在他們眼中，魔是力量強大且帶有惡意的，許多時人們碰著的只是小鬼小妖，只是時運低看到不該看的，與著魔距離十萬八千里。

如果說魔代表的是惡，如果他們當真有所圖謀的話，滿是血污的人類歷史，可謂充滿魔的手影，剝開超自然之外衣，人類本來就住著心魔。然而，本書主旨並非哲學地談人性醜陋與卑劣，而是重溯魔的面貌與特質。

魔界之門已經打開……你敢闖進去嗎？

Mystery 1

魔蹤

根據不同宗教信仰或傳統文化的理解，「鬼」與「魔」有時涇渭分明，有時卻不易區分。以下敘述的故事，有些屬於典型的遇魔個案，有些聽起來只不過是普通鬼故事，但筆者揀選之時，著眼於這些故事多多少少含有「魔鬼元素」，並非單純的鬧鬼。

美國知名歌手
靈探遇上魔

名人講鬼故，大家可能聽得多；但名人談惡魔經驗，則比較罕見。愛莉安娜·格蘭德·布特拉（Ariana Grande-Butera）是著名美國歌手、詞曲作家及演員，以寬闊的音域聞名。在《Complex》雜誌中，她講述了一次超自然遇魔體驗。

在2013年8月，格蘭德作出了一個可能讓她相當後悔的決定：她與友人在密蘇里州的堪薩斯城（Kansas City, Missouri）進行「靈探」！第一晚，她們去了堪薩斯城一座鬧鬼的古堡。當夜似乎未發生任何異常狀況，她們一行人甚至感到非常興奮。

著名的鬧鬼公墓——斯圖爾公墓 By Gatsbydog3 - Own work, CC BY-SA 4.0

令人不安的事情發生於第二天晚上。這一夜，格蘭德與朋友決定去斯圖爾公墓（Stull Cemetery, Stull）。那是一處著名的鬧鬼公墓，坐落於勞倫斯（Lawrence）和托皮卡（Topeka）之間一個幾近廢棄的郊外小鎮上。

傳奇的斯圖爾公墓

在正式講述格蘭德的經歷前，必須先探究一下斯圖爾公墓的背景。這公墓的傳說本已極度陰森，稱得上魔氣四溢。美國國內不乏知名鬧鬼墓地，但鮮有像斯圖爾公墓如此傳奇，它的故事涉及女巫、狼人、神秘儀式、地獄之門，甚至魔鬼之子，非常耐人尋味。有人更稱，該公墓本稱「骷髏」（Skull），後來之所以改稱「Stull」，是為了掩蓋某些東西。

回溯這斯圖爾的歷史，我們會發現，那裡本來有一座神秘教堂。這座石灰石教堂本身可追溯至1850年代，然而，在2002年，教堂竟神秘地被拆除。遺址現場跡象表明，是有人刻意用推土機將教堂移為平地。居於堪薩斯萊康普頓鎮區（Lecompton）的居民梅斯・韋斯少校聲稱與「Harvest Hills LLC」的兩名成員共同擁有這片土地，但韋斯表示沒人告知他教堂會遭拆掉，他也沒有授權別人把它拆除，亦不確定是誰授權拆除。

據推測，或許因為當地居民不勝外來人的滋擾而把教堂折除；又或許，是因為教堂發生太多超自然現象，令小鎮居民決心將其摧毀。

這座教堂發生過什麼超自然現象呢？相傳，自1920年代以來，這座教堂是沒有屋頂的。但無論晴天雨天，甚而狂風暴雨，教堂內部依然保持乾燥，雨水彷彿畏懼什麼似的，拒絕在建築物內降落。據說，曾有數以百計的目擊者見過此種現象。

為什麼這教堂會被廢棄呢？其中一個版本是這樣說的：1850年代，當地一

魔界默示錄 惡魔傳説解密

名市長在舊穀倉被刺傷,以致死亡。幾年後,穀倉改建成教堂,但遭逢一場大火給燒毀了。如果有人入夜後走進教堂,會見到腐朽的木製耶穌受難像上下顛倒過來⋯⋯

傳説裡,教堂中的石灰岩結構是「通向地獄之門」!(另一處位於印度荒涼的平原)傳聞言之鑿鑿地説:

「在堪薩斯州斯圖爾廢棄教堂的地下室裡有一道樓梯。如果你沿著那樓梯,向下、向下走,你將到達地獄的入口。而且,如果你可以爬回那條梯

子,從地獄的腸子裡逃脫,到達地面,則必須爬上幾周。前提是⋯⋯如果魔鬼沒有先抓住你。」

廢棄教堂之所以成為地獄之路,是因為路西法(或撒旦)將墓地中央的廢棄教堂用作通往黑暗世界的私人通道。每逢現身,牠會激起墓地內靈魂的怒火,令周遭鬧鬼不絕,導致建築物神秘地出現火災和噪音,更曾有人用舊式磁帶錄音機錄到恐怖怪聲。

世上有些地方,存在通往地獄之門的傳説。
圖:The Vision of Hell (Inferno), by Dante Alighieri, Public Domain

魔鬼每年只會兩次通過大門，一次在春季春分午夜，另一次萬聖節。為什麼牠會取道該處呢？據說，此處的墳墓，是撒旦孩子之骨骸最後的安息之地。墓裡安放一副由魔鬼和女巫誕下的孩子之骸骨。這「魔鬼的孩子」長得非常畸形，只活了幾天，屍體正好被埋在斯圖爾。有人聲稱見過一個「像狼人一樣的男孩」在附近森林中窺視他，於是，人們相信魔鬼的孩子化身成為狼人，在森林一帶出沒。

為什麼這個惡魔傳說會牽扯上女巫？原因或可以追溯到1850年。有人考據發現，斯圖爾的墓地中，昔日曾有一棵大樹，毗鄰有一塊刻著「維蒂希」（Wittich）一詞的古老墓碑。這棵樹是女巫的行刑架，人們把被定罪的女巫吊在樹上用火燒死。

種種傳聞，真偽難辨，但整個故事大抵已有百年歷史。不過，直至1970年代，這些故事才被白紙黑字記錄下來。1974年11月，堪薩斯大學的學生報紙上刊登了一篇文章，談到了Stull墓地的許多奇怪事件。這篇文章由一名叫 Jain Penner 的記者撰文，記錄了魔鬼到堪薩斯州的行跡，他斷言該墓地是惡魔每年兩次親臨現場的兩個地方之一。到了1980年，《堪薩斯城時報》發表了一篇文章，進一步加劇有關斯圖爾公墓和廢棄教堂的傳聞。文章除了提及魔鬼每年出現在堪薩斯州的「風滾草小村莊」外，還會聚集過去一年所有死於暴力的人，在萬聖節之際躍然起舞。

其中最令人不安的傳聞是：在1993年，當時的天主教教宗若望保祿二世（John Paul II）飛往科羅拉多州作公開活動，期間教宗命令私人飛機繞道飛行，原因是斯圖爾公墓如此邪惡，令上空的空氣也被邪惡所污染，他不想飛越「邪惡之地」云云。

儘管傳聞疑幻疑真，部分細節卻經不起推敲。例如，說該地原來稱為「骷髏」（Skull），後來才改為「Stull」，是與事實不符的。實際上，該鎮過去曾稱為「鹿溪社區」（Deer Creek），直到1899年，第一任郵局局長西爾維斯特・斯圖爾（Sylvester Stull）的姓氏被用作小鎮的名稱。郵局其後於1903年關閉，但該名字卻沿用至今。又例如，傳聞中教堂的來歷與市長被刺死有關，但鹿溪社區和斯圖爾歷史上都沒有正式市長。特金斯社區歷史博物館館長 Steven Jansen 更認為，這傳說是一個「兄弟會惡作劇」，並沒有事實依據。當地有居民稱，他們從未聽說過這些故事，並因受外界滋擾感到困擾和惱怒。與舊教堂隔街相對的斯圖爾新教堂的牧師表示，他相信這些故事是大學生的創作。

正如許多鬧鬼故事與都市傳說一樣，細節上儘管有令人生疑之處，不代表整件事全屬虛構，也不代表人們會就此一笑置之。這公墓的「惡名」愈傳愈響，成為廣大鍾情鬼魔靈界事物人士的「朝聖」地。1978年3月20日，有150多人在墓地等待魔鬼到來。他們相信，那些死於暴力並被埋葬在那裡的人，其靈魂將從墳墓中甦醒。然而，那天晚上並未出現任何異常，只留下大量酒瓶空罐，但這並未中止傳聞的廣泛流佈。

1988年10月31日，近500人聚集在墓地大門口，等待惡魔出現。結果惡魔並未公然現身，但群眾卻造成極大破壞。自此之後，每逢萬聖節期間，物業的財產代表均會委派代表，連同當地警察禁止「遊客」進入。然而這使傳說添上一層陰謀論：「信眾」認為有關方面企圖遮掩真相。到了1999年萬聖節那天，有記者前赴斯圖爾公墓，希望記錄撒旦未能在午夜12時出現在墓地中的情況，讓傳說告一段落。怎知記者卻被物業擁有者神秘地拒絕進入，當時距離午夜僅剩半小時。從那時起，據悉沒有人獲得實際調查的

許可，尤其是在兩個特定的日期。

由於青年人（尤其是勞倫斯或托皮卡的高中生和大學生）流行在萬聖節或春分時節前往公墓「探訪魔鬼」，許多人會跳過籬笆或以其他方式潛入該物業。幾十年來，隨著前往公墓的「遊客」人數增加，墓地情況開始惡化。為了解決這問題，該縣的治安部門會在墓地附近巡邏，尤其在萬聖節當天，會逮捕涉嫌侵入者。在墓地關閉後進入公墓的人，將面臨最高1,000美元罰款和最多六個月監禁。

名歌手的經歷

由於當地禁止外人晚上進入公墓，所以美國歌手格蘭德與友人夜闖斯圖爾公墓，她們的行為嚴格來說不宜公開宣揚。但這位歌手還是在Instagram裡發帖講述是次怪異經歷，標題為「幽靈狩獵＃堪薩斯城」。

前文不是說墓中廢棄教堂早給拆掉了嗎，為什麼仍吸引「靈探」人士慕名勇闖？原來傳言說，作為地獄之門入口的建築物雖被毀壞，非但未令事件平息，反使那一帶的鬼魂感到憤怒，墓地裡激起了一些兇猛的事情。

格蘭德原本打算在社交媒體上發佈一張相片，後來卻刪除了。之後她接受訪問時描述了那張照片，並解釋無法發佈的原因。「奇怪的事情開始發生在我身上。」

原來在駕車夜探禁地時，格蘭德已感到車上有一個惡魔跟著她，徵兆包括她們嗅到了硫磺味，車上又忽然出現蒼蠅……格蘭德認為，硫磺與蒼蠅，是惡魔的標誌。當時她感到噁心及一股令人沮喪的壓倒性感覺。當時她心想：「這太可怕了，讓我們離開吧。」在下車前她打開車窗說：「很抱

歉。我們不是要破壞您的安寧。」然後她拍了一張照片，照片上竟然出現三個超級不同的面孔——教科書式的典型惡魔面孔！

第二天，她試圖將圖片發送給經理人，但電話顯示：「該文件無法發送，大小為666MB。」格蘭德堅稱不是說笑。記者想看看那張照片，可惜她已刪除了。

事件並未就此完結，格蘭德自稱一直受到大量黑色物質困擾，並聽到了惡魔般的耳語，包括「真的很大的隆隆聲」和「竊竊私語」。在接受雜誌採訪前約兩個星期，有一晚睡覺前，她正好和朋友打電話，剛下電話，閉上眼睛時，她聽到腦袋裡傳出了非常響亮的隆隆聲。睜開眼睛時，怪聲立即停止。她再閉上眼睛，怪聲又開始耳語，並且開始見到令人不安的、像紅色的形狀。這時候她張開眼，看見她床邊左側出現「巨大的黑色物質」，像一團烏雲。

她回到電話說：「我該怎麼辦，我該怎麼辦？」朋友建議道：「叫它滾開。」（註：原語是 eff off，這是 fuck off 的委婉用法）格蘭德不想那樣做，因為這會使那東西不悅。雖然感到不寒而慄，但格蘭德仍試圖保持鎮定，只是縮在床的一端，因為她認為那惡魔希望自己恐懼，「以恐懼為食」，她不想陷入驚慌而「餵食」它，之後她便睡著了。

醒來後，那團烏雲不見了。可是第二天晚上，她與朋友泰勒在一起，正當泰勒說想睡覺之際，身體幾乎完全癱瘓，格蘭德說：「她描述的東西與我看到的完全一樣」。儘管有人認為格蘭德為炒作新聞而編作故事，但這位美國女歌手聲言自己絕非開玩笑。

民間傳說
與魔鬼交易的浮士德

當一個計劃減肥的人面對一桌子美食，他會在吃與不吃的念頭間天人交戰，內心或有兩把聲音響起，一邊拉著他用意志力克服欲望，另一邊勸他莫跟自己過不去吃了這一頓再算，這種處境通俗稱為「天使與魔鬼」。魔鬼彷彿是慾望與誘惑的代名詞，人若順從名利、色慾、物慾等本能需求便形同落入魔鬼的圈套；而若為了某種目的，接受違反道德或信仰為交換條件的手段，世間視之為「與魔鬼有約」——儘管那可能只是象徵意義上的「出賣靈魂」，未必真與靈界事物有關。

談到與魔鬼交易，讀者可能聯想到一個人物——浮士德。許多人以為浮士德只是歌德著名戲劇《浮士德》裡的虛構角色，其實不然。這角色的真實藍本，是15、16世紀在歐洲各地遊歷的德國鍊金術士，占星學家約翰・喬治・浮士德（Johann Georg Faust，英語John Faustus）。

浮士德不只是文學作品裡的虛構人物。
圖：Faust, by Rembrandt van Rijn, ca. 1652, Public Domain

歌德於19世紀創造的作品《浮士德》，是一部長達12111行的詩劇，在芸芸以浮士德為題材的作

品中最廣為人知,或令人以為浮士德是歌德的創作。其實早在16世紀後期,已有不少文學作品描述浮士德,例如英國劇作家克里斯多福·馬羅(Christopher Marlowe)的作品《浮士德博士悲劇》(The Tragical History of Doctor Faustus),便是講述浮士德把靈魂交與魔鬼,換取24年風光與權力的故事。

歌德描繪的《浮士德》,於西歐民眾來說耳熟能詳:

與上帝打賭

魔鬼與上帝打賭,看人類會否受魔鬼的誘惑。浮士德成為了魔鬼與上帝的賭注,魔鬼說,他的欲望無窮盡,最終必然墮落;上帝說,善人在追尋的路上儘管迷失,最終亦將意識到哪裡是正途。魔鬼梅菲斯特(Mephistopheles)來到浮士德面前,跟他說:我會滿足你生前的所有要求,但是在死後將拿走你的靈魂作為交換。

魔鬼首次勸誘浮士德時,遭浮士德嚴詞拒絕。但後來浮士德看到外面大學生的快樂生活,再也無法抵擋青春的誘惑,便與魔鬼簽下一份協議。協議內容是,浮士德與魔鬼以靈魂打賭,自己永不會停止追求的腳步,如果他說出「停留吧,你那麼美!」,代表滿足了所有願望,那一刻,靈魂便將交予魔鬼。

原來專注學問的浮士德,開始踏入紅塵生活,體驗另一種人生。浮士德第一個赴身的地方是酒吧,返老還童的他與少女瑪甘蕾在大街上追逐,他對梅菲斯特要求得到瑪甘蕾,還說:「如果今夜不能擁抱她,我們在午夜就分道揚鑣。」

不過，與瑪甘蕾的愛情生活，未能滿足浮士德對紅塵的追求。於是在魔鬼的誘導下，他得到了權力、財富、美色，經歷了愛欲、歡樂、痛苦、神遊等各種滋味。到了生命的最後時刻，那時浮士德雙眼失明，鬼怪們在院中為浮士德挖掘墓道，他聽見了誤以為是民工挖土開河的聲音，以為替人造福的理想將實現，於是說出了「停留吧，你那麼美！」那句話。話音剛落，他便倒地死去。

當浮士德說這話時，梅菲斯特以為賭贏了。浮士德死亡，魔鬼拿出血的契約，打算收割浮士德的靈魂。但天使從天上降臨，帶走浮士德的靈魂。在浮士德升天場景中，天使說：「凡人不斷努力，我們才能濟度，有愛來自天庭。」為什麼浮士德賭輸了仍可升天？也許是上帝認為祂跟魔鬼的打賭並沒有輸，浮士德找到了正確的道路。

在歌德的版本裡，浮士德得到美滿收場。但在英國劇作家馬羅的劇作裡，魔鬼契約帶來的是死亡結局。當午夜鐘聲響起，浮士德的身體迸裂，靈魂成為魔鬼的戰利品。

描述完浮士德的劇作故事，不止為了讓大家認識這名作的內容，而是藉此帶出幾個恐怖的傳說。首先，前述馬羅版本的劇作，在1609年是由演員艾倫（Edward Alleyn）飾演浮士德。相傳，有一次艾倫演至用邪術召喚魔鬼之時，魔鬼竟然真的出現了，令他非常恐慌！自此艾倫便退出劇壇。

更值得讓我們探究的是，真實藍本的德國占星學家浮士德，這人物本身的事跡亦非常離奇，甚至可以說比起劇作裡的「浮士德」更驚人。民間相傳，這個於15、16世紀在歐洲各地遊歷的傳奇人物，最後死於魔鬼手中。因此，德國各地流傳好幾處浮士德住過或被惡魔殺死的地方，當中一些地

方成為旅遊景點，還豎立浮士德和惡魔的銅像。

浮士德出生於德國西南部海德堡省，普遍相信是Knittlingen、Helmstadt或Roda其中一處。有些文獻稱浮士德為「博士」，因為他自稱擁有神學博士頭銜，但歷史學者找不到相關佐證，從而懷疑浮士德虛構學歷。但可以肯定的是，浮士德擁有一定宗教知識，亦深諳神秘主義學說。他周遊各地，依靠占卜為生，有些與他見過面的神職人員在書信中稱他為騙子。馬丁‧路德亦接觸過浮士德，還稱他為「與惡魔有關聯的魔法師」。

那麼浮士德與惡魔有何事跡？他的事跡被不少文獻記載下來，當中記述了他使用魔法的故事，還有被魔鬼殺害的說法。另一種說法是，浮士德死因是施行煉金術時爆炸身亡。總而言之，絕非「正常」的死亡，多多少少帶點邪裡邪氣。

文獻的浮士德事跡

最早記述浮士德事跡的書籍或是1587年出版的《Historia von D. Johann Fausten》。以下事跡可從這部著作中找到：

浮士德出生於德國威瑪省的羅達（Roda），父母是敬畏上帝的信徒。許多人認為他缺乏常識和理解力，但浮士德很早證明自己是一名學者，不僅精通聖經，還精通醫學、數學、占星術、法術、預言和死靈法術。

追求知識的慾望激起他試圖與魔鬼接觸。浮士德借助的途徑是巫術，一種名為「十字路口」的黑魔法。相傳這是一種召喚邪靈之術，顧名思義須要在十字路處施法。我們難以得知這位煉金術士所施行的實際儀式是怎樣的，唯透過現今流傳下來的版本，我們得以一窺此魔法的輪廓：

首先要準備一隻未交配過的黑母雞，趁牠仍在睡覺未啼叫時捉走牠，走到街道的十字路，在午夜12時以絲柏木所製的法杖在地上畫一個直徑一公尺的魔法圓，接著一邊用手將母雞撕裂，一邊唸誦咒語。唸咒後邪靈便會出現，它會詢問施術者的召喚理由，術者可以下達命令，邪靈會服從照辦。

據記載，浮士德於威登堡（德語：Wittenberg）附近Spesser森林裡的十字路口施法，他和助手繪製魔法陣後，魔鬼召喚出來了。

魔鬼因被召喚而大感憤怒，使該地狂風大作。狂風和閃電平息後，魔鬼要求浮士德講出自己意圖。浮士德回答說，願意與魔鬼簽訂契約。協議如下：

- 魔鬼向浮士德提供他想知的任何訊息；
- 魔鬼永遠不能對浮士德說不真實的話。

魔鬼同意這些細節，但前提是浮士德承諾：

- 契約為期24年，之後浮士德把身體和靈魂交給魔鬼；
- 浮士德用鮮血簽名確認該協議；
- 放棄他的基督教信仰。

達成協議後，浮士德起草了條約，並以自己的血將其簽訂作實。

自此之後，浮士德的生活變得舒適與奢華，甚至有點過分與變態。優雅的服裝、精美的葡萄酒、豐盛的食物、漂亮的女人，這一切都不算稀奇。畢竟這一切都是以靈魂來交換的。比較匪夷所思的是，傳說魔鬼還把古時特

洛伊的海倫（對，就是希臘神話裡那個引發特洛伊戰爭的天下第一美人）和以美貌聞名的土耳其蘇丹后宮妃子，帶來當浮士德的情人。

浮士德成為德國最著名的占星家，因為他的占算從未失敗。有人相信，他不再受塵世的束縛，可以到訪地獄深處，也可以到最遙遠的星星旅行。他對世界的了解，令他的學生及至其他學者大為驚訝。

然而，儘管擁有名利與女人，浮士德始終無法撤銷魔鬼契約規定的24年大限。他終於意識到自己之愚蠢，變得越來越憂鬱。他將名下資產留給年輕的徒弟——威登堡大學生克里斯托夫・瓦格納。

契約訂立起計第24年最後一天，午夜過後不久，聚在浮士德家的學生們忽然聽到巨響。當時浮士德正在生病，正於房裡休息。學生們聽到房內傳出一陣仿如猛烈風暴的聲音，然後聽到老師大聲喊叫。起初叫聲非常淒厲可怕，接著聲音變得微弱。

黎明時分，學生冒險進入浮士德的房間，眼見到處都是血跡。看起來是大腦的一部分粘在牆上，還發現一隻眼睛和幾顆牙齒。然後他們在外頭找到浮士德的遺體，躺在糞堆上，屍身仍在抽搐。

民間傳說中的浮士德

關於浮士德的傳說，不止這麼少。根據19世紀一名新聞工作者Hermann Harrys所寫的文章「Fausts Höllenzwang」所說，相傳浮士德寫過一本《地獄魅力之書》。這本書藏於扎勒費爾德的教堂中，由鐵鍊固定。只有少數人可以閱讀它，且這是非常危險的行為。閱讀此書要遵從規定，那人必須要由前面讀到後面，然後由從書的尾部向前回讀。當順著讀時，魔鬼就

會出現；當倒過來讀，魔鬼就會離去。如果有人只知順著讀，魔鬼便會把那人殺掉。（註1）至於這書有什麼內容？天曉得，或者該說，魔曉得。

鄰近德國的奧地利亦流傳許多浮士德的傳說。在奧地利埃弗丁縣阿沙赫（Aschach）鎮，當地人在1500年代於橫穿多瑙河的陡坡上建造了一座小城堡，名為Fauststöckl或Faustschlössl。然而，有些傳說指出這座城堡是魔鬼應浮士德要求，於一夜之間建造出來的。

浮士德為什麼要命令魔鬼建造這座城堡？原來不僅為了享用一個宏偉的住所，背後真正目的乃試圖給魔鬼一個「不可能的任務」，藉此把契約無效化，從而讓詛咒告終。可惜，魔鬼還是輕易完成此一任務。

為了讓魔鬼無功而返，浮士德想得出的要求都很天馬行空。每當浮士德想要越過阿沙赫鎮時，他會讓魔鬼在河上架起一座橋。這座橋須在浮士德策馬過橋之前造起，然後在疾馳而過之後立即拆除。相傳，在德國其他地方也發生過類似情況，短短幾分鐘內，浮士德為自己修建了一條通往Neuhaus的柏油路，然後在不再需要時毀掉道路。

浮士德還要求魔鬼在多瑙河的中央建造保齡球館。為什麼是保齡球館呢？筆者估計，這是因為保齡球源遠流長（翻查資料，考古學家在古埃及的墓穴中發現有九個球瓶和一個石球，推測公元前7200年已有類似保齡球的運動），中世紀的宗教革命之後，德國已發展出九瓶保齡球運動（Skittles）。在德國流行此運動以前，在3至4世紀的歐洲，保齡球一度是宗教儀式，民眾把球瓶當作為惡魔，然後用球去擊倒，以此象徵驅魔。大概浮士德用這典故來調侃魔鬼吧。據說，他還指令魔鬼施法，讓他在水面上的碗裡玩耍。

這些「奇蹟」令浮士德在民眾心中樹立了不可思議的印象。可是浮士德的努力徒勞無功，始終逃不過履行血契的結局。契約訂立後第24年末的午夜，Faustschlössl城堡裡發生巨大騷動。有人趕去察看，驚見魔鬼與浮士德在空中飛舞，到達附近山脈的高處，魔鬼把浮士德撕成碎片，實現了24年前的約定。

浮士德與梅菲斯特以靈魂作為賭注。
圖：Faust and Mephistopheles in the Hartz Mountains, by Eugène Delacroix, 1825–27, Public Domain

據說一人一魔離開城堡的地方還留有一個破洞，直至後來也無法修補。其後Faustschlössl城堡成為貴族的居所。到了1966年，古堡改建為酒店，酒店管理層聲稱，著名的「魔鬼洞」仍然無法修補。不少當地居民信此傳說，有抹灰工人聲稱曾試圖修補破洞，但石膏不斷脫落。

至於那伴隨浮士德24年的魔鬼梅菲斯特，究竟是什麼身分地位？本書後面章節再有論述。

註1
Hermann Harrys, "Fausts Höllenzwang," Volkssagen, Märchen und Legenden Niedersachsens, vol. 2 (Celle: Verlag von E. H. C. Schulze, 1840) no. 13, p. 20.
註2
從此來源轉述：Faust-Schlössl Geschichte / Sage (Hotel Faust-Schlössl).

傳奇歌手
大衛・寶兒泳池遇惡魔

英國傳奇搖滾歌手大衛・寶兒（David Bowie）於2016年病逝。當時媒體集中報道他音樂上的成就、對時尚的影響，以及其性取向，因為他曾自認是一名雙性戀者。較少人知道的是，他一生都與魔法、神秘主義、外星文明、以及毒品糾結甚深，更因為這種背景，他曾有遇見魔鬼的經歷。

談論外星文明的歌手

大衛・寶兒1947年生於於倫敦，是英國最具影響力的搖滾樂歌手之一。他於1970年代推出以科幻為題材的作品，還以太空人打扮演釋歌曲。寶兒是一個很早便談及「外星文明」及「外星威脅」的名人，其歌曲的許多歌詞滲著各種神秘主義元素。

1993年，寶兒接受採訪時表示，他對神秘事物的熱衷，源於對上帝的嚮往。他著迷於 Trevor Ravenscroft 所著的《命運之矛》（The Spear of Destiny），該書述說希特勒痴迷於尋找一支聖矛，那是耶穌被釘十字架時，羅馬士兵用來刺祂的長矛。這份致命的神秘力量，與希特勒另一樣致力尋找的傳說聖杯，同樣使寶兒著迷。

大衛・寶兒的作品滲著神秘主義元素。
Image by Cristian Ferronato from Pixabay

在1970年代，歐洲一些地方出現一股彌賽亞和世界末日的狂熱氛圍。那年頭的神秘主義愛好者流行閱讀一種魔法指導手冊，以追尋神秘（他們認為是神聖）的知識，甚至以此來召喚一些「看不見的盟友」，例如魔鬼。我們難以確定寶兒透過什麼渠道學習魔法知識，但顯然他曾不止一次嘗試「施法」。

從以下一件事，我們可窺見寶兒的心理狀況。美國編劇和電影導演金馬倫‧高爾（Cameron Crowe）年輕時曾擔任《滾石》雜誌的編輯，撰寫音樂評論文章。1975年，19歲的金馬倫前往採訪寶兒，他發現寶兒的精神十分焦慮，還會點燃黑色的蠟燭，以保護自己免受窗外看不見的超自然力量之傷害。

金馬倫憶述，寶兒深信自己被吉米‧佩奇（Jimmy Page，一位英國音樂人）詛咒，所以在工作室地板畫上卡巴拉符號（一種猶太教、基督教秘密宗派所使用的神秘符號），並點上黑色蠟燭，這顯然是魔法儀式。之後寶兒情緒穩定起來，清醒地談論音樂。談話中，寶兒開始描述一個世界末日的未來，搖滾的邪惡與黑暗偽裝將化為真實，他說：「我相信搖滾是危險的。它很可能在西方帶來一種非常邪惡的感覺。」

探討思想脈絡

要了解寶兒的思想脈絡，我們可從其音樂專輯裡尋找端倪。1973年，滾石樂隊（Rolling Stone）安排了一次文化對談，講者為美國作家威廉‧伯勞斯（William Burroughs）和大衛‧寶兒。寶兒在演講中談及自己的專輯《Ziggy Stardust》的神話背景。這專輯於1972年6月16日發行，全稱為《The Rise and Fall of Ziggy Stardust and the Spiders from Mars》。大碟裡的歌曲，顛覆了當時人們對太空航行的宏偉壯麗印象，將宇宙變成

一個不祥的神秘之地，墮落的外星人彌賽亞將在火星學習彈吉他。演講中，寶兒描述了一群被稱為「無限」的外星生物，他們利用Ziggy作為容器，生活在黑洞之中，因為有了容器，才能賦予人們可以理解的形式。

"The Rise and Fall of Ziggy Stardust and the Spiders from Mars"

金馬倫採訪寶兒的幾個月後，發生大衛寶兒在家中遇見魔鬼事件。寶兒聲稱有惡魔住在家裡的游泳池，留在家裡的唯一方法是驅魔。可是，經過寶兒自行驅魔及邀請女巫作法均無效後，夫妻二人被迫搬家。

在講述這宗事件前，先略述一下當時發生在洛杉磯一件令人心悼悼的大事件，而這事件與寶兒經常精神焦慮也有一點關係。在那段日子，寶兒堅信有兩個女粉絲想要在一年一度的女巫狂歡會上，採集他的精液來讓自己受孕，好讓惡魔撒旦降臨世界。寶兒後來解釋說，「那時洛杉磯有一種詭異

恐怖的氣氛彌漫在空氣裡。那是文遜家族謀殺莎朗蒂（Sharon Tate）的陰森氣息…」

這是什麼一回事呢？原來，1969年8月9日，懷著8個月身孕的荷里活明星莎朗蒂與四名友人在洛杉磯的住所內慘遭殺害。五人身受多處刀傷，失血過多而死。這宗謀殺案震驚荷里活與美國民眾。

這命案的元兇正是美國犯罪史上最惡名昭彰的邪教「文遜家族」（Manson Family）。邪教首領查理斯・文遜（Charles Milles Manson）組織了一個多達80餘人的集團，他把披頭四（the Beatles）的歌曲《Helter Skelter》解讀成非裔美國人與白人之間的種族戰爭。文遜腦中出現幻象：黑人將發起戰爭消滅白人並取得勝利，而文遜家族藉著躲在神秘的死亡谷（the Death Valley）地下城，避過戰爭，之後趁黑人放鬆戒備時反擊，從而成為世界之王。

可是黑人並未如文遜的「預言」發起戰爭，於是文遜及其追隨者便得自行「促成」那場戰爭，方法是把愚蠢的白人、知名人士及富豪殺掉。這夥人的惡行敗露後，被控在1969年的7月和8月，犯下了九宗連續殺人案，受害者高達35人。美國社會大為震驚。即使文遜本人被判罪成受刑後，「文遜家族」仍有成員活躍，還有人試圖於1975年行刺美國總統。所以在此氛圍下，美國上流階層及知名人士神經緊張也不足為奇。

草木皆兵的生活

那段日子，寶兒整天不是在牆上畫製五角星魔法陣，要不把自己的尿液收集起來，存在冰箱裡，以免為人所施咒，有時他會在家中電視機前用巨石雕刻些什麼，有時在滾石樂隊的專輯封套上尋找隱藏的密碼。

接著就是前述的那宗魔鬼事件。話說寶兒和當時的妻子安吉拉‧寶兒（Angela Bowie）在洛杉磯購買了一座充滿藝術風格的房子。房子位於洛杉磯比華利山Doheny Drive的優美地皮，佔地六英畝，價格僅300,000美元。它建於50年代末或60年代初，外觀看起來像一個白色立方體。另一特別之處是，屋內設有一個室內游泳池。

本來已日益疑神疑鬼的大衛‧寶兒，竟發現前任屋主正是音樂劇《吉普賽》的靈感來源——舞者吉普賽‧羅斯‧李（Gypsy Rose Lee），更發現李於家中其中一房間的地板上畫了六角星，寶兒情緒陷入崩潰，開始聲稱魔鬼住在家裡的游泳池裡。他嘗試自行驅魔，據他自己說：「我畫了幾個通向其他維度的入口。」他曾向別人解釋：「我很確信，就我一個人，我真的走進了另一個世界，並看到了那邊所發生的事情。」

寶兒將所需的法器集中一起進行驅魔。那場面令人驚悚：泳池裡的水被猛烈地攪拌、煮沸，然後他見到一個如像燒焦的惡魔影像留在泳池底部。似乎他的自助策略並未奏效。他們曾尋求協助，找人來驅魔，但似乎仍無濟於事。有人認為這是寶兒吸毒後造成的幻覺。誠然他可能是一個可卡因成癮者，但這不能完全證實他所見必然是幻象。我們還是可以藉旁證來側面評估寶兒經歷的真確性。

前妻目擊證供

皆因目擊證人不止寶兒一人，還有他的前妻安吉拉。安吉拉其後接受訪問稱，她對這種事情本來不屑一顧，但她還是目睹了池裡的水冒泡，亦見到池底出現污漬的現象。在寶兒的傳記《後台通行證：野性生活》裡，我們可從安吉拉的角度旁觀整件事的細節：

「大衛喜歡這個地方，但我認為這裡太小了，無法滿足我們的長期需求，而且我對泳池並不熱衷。以我的經驗，室內游泳池總是一個問題。這次也不例外，儘管出現的並不是一般問題。這泳池的缺點，我以前從未見過或聽說過：撒旦生活在裡面。大衛說，他親眼目睹了『牠』有一天晚上從水中升起。大衛感到惡魔力量的到來，強烈感到自己需要驅魔。他召來新相識的白人女巫瓦利·艾姆拉克（Walli Elmlark）協助清除周圍的邪惡。」
有人告訴他婦倆，洛杉磯的希臘東正教教堂有一名牧師可提供驅魔服務，但寶兒卻不允許「陌生人」插手。因此，二人陪同白人女巫，在現場跟從瓦利的指示行動。儀式擺放了價值數百美元的書籍、護身符，以及荷里活全方位精選的神秘物品。

安吉拉描述了驅魔的過程。「大衛已經準備好了。所需書籍和器具被安排在一個大型的老式講台上。咒語開始了，儘管我不知道在說什麼及所誦唸什麼語言，但是隨著大衛不斷地進行，一種無法阻止的奇怪冰冷感覺升起。沒有簡單或優雅的語言可以形容，所以我會直說。在儀式的某個時刻，游泳池開始冒泡。」安吉拉認為，這種冒泡方式，與任何已知的濾水器或氧氣泵造成的氣泡均不相同，她覺得可以用「碰撞」來形容冒泡的劇烈程度。

這對搖滾夫婦驚訝地目睹一切。安吉拉嘗試輕鬆面對，還打趣事情正在改變，但她無法保持下去。她坦言，很難接受自己的眼睛所見。安吉拉強調，她每隔一段時間就會推開玻璃門走到泳池，看到魔鬼的痕跡。「水池底部有一個很大陰影或污點，在驅魔儀式開始前從沒有出現過。它像是黑社會的野獸。它使我想起那些扭曲的石像鬼，它們從中世紀大教堂的尖頂無聲地尖叫。這是醜陋的、令人震驚的、惡毒的。它使我感到恐懼。」
「我告訴大衛我所看到的，試圖保持平靜，但做得不好。他面色變白了，

但最終恢復了活力，可以度過餘下的整個晚上。不過他不會去游泳池附近。我仍然不知道該怎麼思考那天晚上之事。它與我的實用主義和我對『正常』世界的日常信念背道而馳，這使我非常困惑。最讓我困擾的是，如果你要稱呼那污跡為撒旦的標記，我也不知道該如何與你爭論。」

其後寶兒堅持盡快搬離房屋，他們確實這樣做了。他們從該物業的房地產經紀邁克爾・利普曼（Michael Lipman）口中得知，後來的房客也不能除去池底陰影。即使游泳池被粉刷過很多次，陰影也總會回來。

在2009年接受傳記作家馬克・斯皮茨（Mark Spitz）採訪時，寶兒透露可卡因對他本已神秘的頭腦帶來影響：「我的靈魂從屋頂飛過，它破碎成碎片。我一天24小時都在做幻覺。」寶兒遇魔經歷會否只是濫藥的後遺症？我們不能否認他的私生活與毒品密不可分，卻無法把他所有神秘經驗都歸咎在可卡因。不少樂迷都相信，從寶兒音樂中可找到許多線索。搖滾歌手亞瑟・布朗（Arthur Brown）便將寶兒的音樂表演視為薩滿教的一種形式。

歷史上的名人遇魔個案，不少源於事主運用黑魔法主動召喚惡魔所致。但寶兒的情況不同，他學習魔法的原因，很可能是為了保護自己的心靈免受邪惡力量傷害。認識他的人從其家中茶几見過《Psychic Self Defence》一書，該書作者Dione Fortune描述了心理自我防禦可作為「女」，這也可印證寶兒似乎沒有意圖與魔鬼打交道，只是陰差陽錯著了魔。

《Psychic Self Defence》

恐怖的27歲詛咒
音樂人與魔鬼有約？

英年早逝、天妒英才、紅顏薄命……是中文裡形容青壯年卒然逝世這種無奈狀況。在外國，近代出現一個概念差不多的術語，它描述之現象更為具體：

許多許多有才華的藝術家（尤其是音樂人），皆活不過27歲……西方將這神秘現象稱為「27俱樂部」（27 Club）。

年輕的亡魂

以下這些名字，全都是顯赫一時的人物。搖滾名人堂、屢被評選為史上最偉大100結他手的吉米・亨德里克斯（Jimi Hendrix）、重金屬樂隊「豹」（Pantera）的原吉他手戴姆拜格・達雷爾（Dimebag Darrell）、超脫樂團（Nirvana）的主唱兼吉他手卻・高賓（Kurt Cobain）、門戶樂團（The Doors）的主唱占・摩利臣Jim Morrison、奧茲風暴（Blizzard of Ozz）的結他手蘭迪・羅茲（Randy Rhoads）……他們都是對樂壇頗具影響力的音樂人，無獨有偶地他們皆享年27歲！（註1）

為什麼這些才華橫逸的人皆短命如斯？有人歸咎他們生活作風不健康（如吸毒、濫藥、酗酒等），可是部分自殺或他殺等死於非命的個案就難以解釋。有人提出陰謀論，指出那可能是一種「獻祭」；又或許，最初死於27歲的藝術天才只是偶然，之後有模仿犯刻意延續此現象，人為地製造恐

許多有才華的藝術家都活不過27歲，這神秘現象稱為「27俱樂部」（27 Club）。
Jonathan Kis-Lev , CC BY-SA 4.0, via Wikimedia Commons

怖都市傳說。眾多傳聞中，最讓人毛骨悚然的理論，竟然與魔法及魔鬼有關。

西方傳說，尤其在美國，相傳在午夜12點，誰拿樂器到「十字路口」的枯樹下自彈自唱，很可能遇上魔鬼拿著合約現身，只要大筆一簽，今後便會大紅大紫！代價是那人將活不過27歲……在這傳說背景下，那些「27俱樂部」的死者固然被標籤為「與魔鬼有約」；有些明明活過27歲，只要人紅兼早逝，如貓王皮禮士利和李小龍，一樣被扣上勾結魔鬼的帽了。

十字路口魔法

心水清的讀者可能發現，「十字路口」傳說於前面「浮士德」的故事裡曾經出現。是的，此傳說深究下去，與一種黑魔法關係密切。「十字路口魔法」由來已久，不同地區的儀式版本頗有差異。追源溯本，「道路的分岔口」是全球宗教和民俗信仰的主題。由於十字路口並不屬於任何人，象徵邊界以外之地，因此世人相信十字路口是進行魔法儀式的合適場所。其中美國人的十字路口魔法儀式，學者考據認為包含了歐洲民間傳說和非洲胡

都（Hoodoo，乃類似伏都Voodoo的一種民間信仰）元素，當中胡都的色彩尤其濃烈。

相傳十字路口是施展特定胡都巫術的熱門地。想學習新技巧的人，可以在十字路口進行儀式，不一定要與音樂有關，你可以演奏樂器，或擲骰子、跳舞，甚至公開演講也無不可。儀式方面，施法者帶上所需物品：結他、小提琴、紙牌甚或骰子，並在指定的三個或九個晚上（一說早晨也可）在十字路口等待。連續多天實踐後，他應該會看到一些神秘生物。最後一次儀式中，將有一個「大黑人」出現。如果施法者不害怕也不逃避，「大黑人」會向他借用手中道具，然後展示運用該物品的正確方法。當「大黑人」歸還物品時，施法者會突然獲得神奇的「天賦」，從此成為箇中高手。

這位神秘導師，相傳其膚色呈純漆黑色，而非棕褐色，也就是說「他」並非有色人種或一般意義下的「黑人」。故此，目擊者才會稱他為「大黑人」。有時，人們會稱之為「騎手」、「有趣的男孩」，甚至——「魔鬼」。在西非伏都教，有一個惡魔（一說是古神）名為Papa Legba，祂是

道路之主，專責開啟通往靈界的道路。研究者認為「大黑人」的屬性與Papa Legba相仿，故相信這傳說的源頭在非洲。流傳至美國後，西歐與非洲的傳說合流，「大黑人」便變為基督宗教的魔鬼——撒旦。

相傳在十字路口舉行魔法儀式後，「大黑人」便會出現。
Image by Etienne Marais from Pixabay

羅拔・莊臣的死亡傳說

說了好一大堆，終於講到本篇文章的主角――羅拔・莊臣（Robert Johnson）。莊臣是一個美國藍調結他手、詞曲作家，在1936和1937年間錄製的專輯展現劃時代意義，對後世樂壇產生深遠影響。他在1980年入選第一批藍調名人堂，1986年成為第一批搖滾名人堂作選者，2000入選密西西比音樂家名人堂，2006年獲選格林美終身成就獎。在2003年，《滾石雜誌》將莊臣排在「史上最偉大的100位結他手」中的第5位，2011年《滾石雜誌》100大結他手列為第71名。

如此一個傳奇人物，不幸地也是「27俱樂部」的成員，享年27歲。關於他的記載十分少，但聲稱他與魔鬼交易的傳聞卻甚囂塵上，簡直是當代「出賣靈魂」的表表者。傳說莊臣走到十字路口，與撒旦達成了盟約，魔鬼答應實現其夢想，用他的靈魂交換音樂上驚人造詣。更有人言之鑿鑿指出賣身地點在密西西比的十字路口枯樹下......究竟這是人們對一名偉大音樂家的誣衊，還是一如古老格言所說：「空穴來風，未必無因」？

有一說法稱，莊臣在18歲以前尚未懂得彈結他，後來他神秘消失一段日子。離開密西西比家鄉幾個月後，他竟然「解鎖」一手好技藝，遙身一變成為大師級音樂人。奇跡背後，人們流傳兩種解釋：一是莊臣透過留聲機不斷聽別的演奏家作品，反複苦練而自學有成；另一就是與魔鬼訂下盟約的結果。

相信後者的人舉出許多佐證，包括莊臣曾錄製一首名為「Crossroads」的歌曲――一首描述他與魔鬼結盟的自況之作。雖然歌詞裡有「我走到十字路口／跪下來到十字路口／跪下來／向上方的主求憐憫／「請帶走我，如果你願意的話」（註2）等詞句，細看下去卻不像與黑魔法有關。另外，

其1937年的作品〈我足跡上的地獄獵犬〉（Hellhound on My Trail），亦據傳是他把靈魂奉獻給魔鬼的作品。

在芸芸英年早逝的音樂人之中，莊臣借助黑魔法成名的傳聞尤其為人廣傳。這是因為傳聞莊臣說過一番話：「如果您想學習如何自己製作歌曲，請拿著吉他，然後走到那條路過的地方，一個十字路口。到達那裡，請確保在那天晚上12點之前到達那裡。你有結他，然後自己在那兒彈奏……一個大黑人會走到那裡拿你的結他，他會調音，然後他會彈奏和把它還給你。這就是我學會演奏自己想要的東西的方式。」

然而，說這番話的人其實是另一個音樂人湯米‧莊臣（Tommy Johnson），而不是羅拔‧莊臣本人（註3）。似乎有人把兩者張冠李戴，甚至刻意誤導公眾。

那麼，羅拔‧莊臣是否就此洗脫與黑魔法的嫌疑？

莊臣其他歌曲裡，歌詞不時提及一些與魔法相關的事物：在〈我的足跡上的獵犬〉（Hellhound on My Trail）中提到了「熱腳粉」（Hot Foot Powder，俗稱小人粉），那是用來驅趕討厭的人的道具；在〈來我的廚房中〉（Come on in my Kitchen）中提到了一種麻袋（nation sack）；在〈小黑桃皇后〉中又提到了「mojo袋」。「mojo」或「nation sack」是美國南方黑人一種小袋子，可以貼身放在衣服下面，裡頭裝著草藥、粉末或硬幣，當地人相信這口袋有神奇的力量，可以保護物主不受邪惡力量侵擾。其實mojo一詞，本來就隱含使用力量或咒語去影響別人從而得到利益的意思。

無論熱腳粉、nation　sack或mojo袋均屬於非洲胡都巫術體系，與十字路口魔法同出一轍，是一個傳統信仰裡成千上萬習俗之一。因此，莊臣儘管從未自稱透過黑魔法儀式來學習結他，但他明顯接觸過胡都巫術，甚或曾嘗試十字路口魔法，由此與魔鬼扯上關係也未可知。

那年頭的音樂人不少有濫藥吸毒的習慣，在毒品催化下，天馬行空的創意往往突破固有框框達到前所未見的高度。這些世人視為離經叛道的行徑，又往往被認為是「出賣靈魂」的表徵。莊臣於1938年中毒身亡，逃不過27魔咒，然而他的死因是被人下毒，而不是吸毒。無論如何，莊臣的生平已與魔鬼綁在一起，難以辨明。

帕格尼尼的惡魔契約傳說

在西方音樂界，另一個常與魔鬼扣連一起的名字是尼科羅‧帕格尼尼（Niccolo Paganini）這個案倒與27歲詛咒無關。他是一位極具天賦的小提琴家，世人認為他把自己的靈魂賣給了魔鬼，通過與惡魔簽訂契約才獲得異於常人的高超演奏技巧。

這位18世紀的音樂家是歷史上最著名的小提琴手和作曲家之一。他出生於意大利熱那亞，五歲已能彈奏曼陀鈴（Mandolin，一種撥弦樂器），七歲便拿起小提琴，11歲那年更在熱那亞進行了首次公開表演。13歲那年，他前往著名的小提琴家亞歷山德羅‧羅

天才小提琴家尼科羅‧帕格尼尼
Portrait of Niccolò Paganini, by Luigi Calamatta, Public Domain

拉（Alessandro Rolla）處學習。羅拉很快就看出帕格尼尼的才華，自承無力教導他。因此，羅拉把帕格尼尼交給了自己的老師費迪南多‧帕爾（Ferdinando Paer），後者後來又將帕格尼尼介紹給自己的老師加斯帕羅‧吉列蒂（Gasparo Ghiretti）。

由此看來，帕格尼尼確是天賦強橫，按理不必向魔鬼出賣靈魂換取才華。再者，說一個幾歲的孩童懂得與魔鬼簽約也於理不合。

但傳聞可是如此說的：六歲那年，帕加尼尼的母親拿兒子與魔鬼達成交換條件，造就了一代音樂大師。種種珠絲馬跡顯示，這些傳聞於帕格尼尼在世時已出現，似乎帕格尼尼並未迴避這些「謠言」，故此所有認識他的人，或多或少對他產生崇拜和恐懼之情。

他的琴技究竟有多驚人，令世人深信他與魔有約？帕格尼尼以他的24首隨想曲獨奏小提琴而聞名，他協助普及了某些弦樂技術，例如弓弦彈奏（spiccato），左手的pizzicato及泛音。他還故意弄亂了琴弦運用變格定弦（cross-tuning），把琴弦調音至不慣常的音高，使某些樂曲更容易演奏。據說他每秒可以演奏12個音符。相傳他是最早公開表演而不帶樂譜的獨奏小提琴家之一，皆因他能夠背誦所有內容！

15歲那年，這名才華橫溢的少年開始了獨奏之旅。然而不久之後，他崩潰了。天才的名聲慢慢將他變成賭徒，終日酗酒，並沉醉於美色之間。甚至有謠言說帕格尼尼謀殺了一個女人，用她的腸子作為小提琴弦，並將那女人的靈魂囚禁在樂器中。據說當他在舞台上表演時，小提琴會發出婦女的尖叫聲。

越來越多人相信這一魔鬼傳言。帕格尼尼雙頰凹陷、皮膚蒼白、又高又瘦，經常穿黑色衣服，在形象上又的確十分之「黑暗」。最靈幻的傳聞，來自維也納的一場音樂會，一位聽眾聲稱看到了魔鬼幫助帕格尼尼演奏。甚至有人說惡魔曾經在演出中對帕加尼尼的琴弓末端進行了雷擊。及後人們繪形繪聲說見到帕格尼尼有角和蹄，這些都是魔鬼的特徵。

後世研究帕格尼尼個案時，有人提出若干理性解釋。譬如說，帕格尼尼可以在一個把位上用四根弦演奏出三個八度，這是因為是因為他的手指很長很細，不尋常的手指長度使他超出常人能力範圍，這其實是一種稱為馬凡氏綜合症的遺傳病所致。馬凡氏症候群患者通常身材高瘦，手腳、手指和腳趾修長，關節鬆弛有彈性。另外，他發揮出令人難以置信速度的能力，亦可歸因於埃勒斯-當洛二氏症候群，這又稱為皮膚彈力過度症，特徵是病人身上部份肌肉與關節組織，變得異常柔軟、有彈性，之後漸漸鬆弛，這種病症導致帕格尼尼的靈活性增加。帕格尼尼當時有個「橡皮人」的綽號，正好引證此說。

可惜，帕格尼尼身處的時代沒有這些醫學理論。再者，他那早熟的琴藝、破舊立新的手法，也不能單單以病理來解釋。無論如何，當時世人普遍相信他與魔鬼訂了契約——包括教會。

帕格尼尼一生大部分時間都有健康問題。1840年5月27日，他在法國尼斯因喉癌去世。去世前一周，他拒絕神父為他作臨終祈禱。抱持魔鬼論的人自然認為這是惡魔作祟使他得不到救贖。也有人說帕格尼尼之所以拒絕神父，只因以為自己沒那麼早死吧。

一周後，他死了。當地教堂拒絕將他的遺體葬在教會的土地上。在接下來

的四年，其屍首被運到歐洲其他地方。已進行防腐處理的屍體在尼斯的床上躺了兩個月，之後被轉移到地窖之中擺放了一年多。之後遺體又輾轉送到廢棄的麻風病房，甚至是橄欖油廠的水泥桶中。他死後將近四年，教皇才允許將他的遺體運回熱那亞。帕格尼尼最終安葬在意大利帕爾馬的拉維萊塔公墓。也就是說，這名小提琴家很長時間一直「死無葬身之地」，理由顯而易見——天主教會認為帕格尼尼與魔鬼有契約，所以不能安葬於聖地。

註1
參考維基百科
https://zh.wikipedia.org/wiki/27%E4%BF%B1%E6%A8%82%E9%83%A8

註2
I went down to the crossroads/ Fell down on my knees/ Down to the crossroads/ Fell down on my knees/ Asked the Lord above for mercy/ "Take me, if you please"

註3
David Evans1971年的著作"Tommy Johnson"講及此事。

政治家與魔鬼簽約
贏得戰役

與魔鬼交易，又豈止提升個人名與利？相傳歷史上某些戰役，背後原來有魔鬼的手影。西方「野史界」盛傳，英國革命時期，英吉利共和國軍隊平定蘇格蘭王黨叛亂的一場戰役——「伍斯特戰役」，當中便有魔鬼介入，透出陣陣陰森的氣息。

克倫威爾的魔鬼傳說

故事的主角是奧利弗・克倫威爾（Oliver Cromwell）。他出生於1599年，是英國政治改革家，於17世紀初國會與英王相爭時加入國會軍，為獨立黨首領，西元1653年改行共合政體。他的「豐功偉業」包括殺英王查理一世、廢除君主制、解散議院、征服愛爾蘭及蘇格蘭，自任國民總督。

民間相傳，這位政治領袖曾與魔鬼達成了協議，以換取在戰場上的優勢。那是17世紀中葉英國內戰時期，忠於奧利弗・克倫威爾的國會議員軍，和忠於英國皇室的保皇派軍隊在交戰。

英國政治家奧利弗・克倫威爾
Oliver Cromwell, by Jan van de Velde IV,
Public Domain

事源克倫威爾於1649年處決了英王查理

一世。翌年，由克倫威爾領導的國會議員軍，先發制人地向蘇格蘭進攻，這是因為蘇格蘭意欲扶植查理一世的兒子查理二世登上王位。1650年9月3日，克倫威爾的軍隊在鄧巴（Dunbar）戰役中擊敗了蘇格蘭軍，佔領了愛丁堡。

國會議員軍殘酷地殺死英國邊境以北的男人、女人和孩子，激起蘇格蘭人的忿怒。1651年春，在鄧巴戰役中潰敗的蘇格蘭人重組軍隊，趁克倫威爾仍身處蘇格蘭，在查理二世率領下，攻入英格蘭並計劃佔領倫敦。

由於克倫威爾和他的士兵從後追截，保皇軍向倫敦的行進停止下來，盤踞在英格蘭中部城市伍斯特（Worcester）。同時，國會議員軍隊準備「罷工」，英國議員們內部似乎有些拉鋸。直到戰爭委員會成立，進擊伍斯特的戰役才真正展開。

當時國會議員軍在人數上佔優勢。克倫威爾在伍斯特約駐扎了14,000士兵，連同參戰的約翰•蘭伯特（John Lambert）將軍麾下人員，共有28,000人，而保皇派軍僅得16,000人。不過，伍斯特城牆厚重，塞文河（River Severn）亦增添了其戰略防禦力。

相傳有魔鬼介入的伍斯特戰役
(CC BY-SA 2.5)

為了進一步加強防禦，保皇軍炸毀了四座通往伍斯特的重要橋樑，換來喘息的機會。克倫威爾派蘭伯特往南部塞文河畔厄普頓•蘭伯特（Lambert）用他的龍騎兵（Dragoons）佔領了這座受損的橋樑，著手重建，很快國會議員軍就將伍斯特包圍了。

克倫威爾在佩里伍德（Perry Wood）和紅山（Red Hill）周圍扎寨，將火砲放在伍斯特東部，火砲射程遍佈整個伍斯特。克倫威爾命令部隊炸毀城堡和其他房屋，以免被敵人收回；同時把部隊一分為二，切斷從伍斯特往外的逃生路線。至此，保皇軍能夠做的就是等待增援。

神秘老人現身

明明國會議員軍形勢大好，偏偏傳說中克倫威爾為了此戰役竟借助了魔鬼的力量！而這傳說的主要「見證人」，是克倫威爾的部下林賽（Lindsay）上將。

1961年9月3日，適逢為鄧巴戰役周年之日。當天，一個老人來到克倫威爾位於佩里伍德的營地。他拿著一卷羊皮紙，被迎接到樹林裡與克倫威爾會面。不知何故，林賽意識到老人的真實身份——魔鬼或魔鬼使者，生出一種無法控制的恐懼和顫抖。林賽眼見克倫威爾閱讀了那羊皮卷，然後與老人發生爭執。

年邁的神秘老人答應克倫威爾的欲求並成全其意志，條件是克倫威爾只剩下七年壽命，之後魔鬼將完全接收他的靈魂和身體。克倫威爾試圖討價還價至21年，但老人回答：「七年，沒有更多了。」

克倫威爾屈服了，在羊皮紙上簽署，然後老人消失了。克倫威爾似乎不大擔心自己的性命安危，反而向林賽歡呼：「現在這

克倫威爾遇到的老人是誰？
Image by Michael Seibt from Pixabay

45

場戰鬥是我們的！我渴望參與其中。」而在接下來的戰鬥中，林賽成為了逃兵，策馬急速離開戰場，以免自己被拖下水受到魔鬼詛咒。他跑去將克倫威爾與魔鬼簽約的事情告知神職人員：「我確定國王的部隊會被打敗，克倫威爾將在七年後死去。」為什麼克倫威爾要為一場本已形勢大好的戰役犧牲壽元？根據林賽說法，原來一直以來克倫威爾都將自己賣給魔鬼，而魔鬼也一直提出相應要求。

同日，克倫威爾懷著無比信心率領部下，向盤踞伍斯特的蘇格蘭軍發動強攻。經三小時激戰，被圍的保皇軍隊幾乎全部被殲，伍斯特到處都是人和馬的屍體，死者三千，俘虜九千，全部軍官被俘。國會議員軍身穿白色衣服，身上灑滿敵人的鮮血，相傳克倫威爾冒險在戰火中親自策馬到敵人跟前，應允投降者可免一死，但他得到的答案是開槍與子彈。不難想像，當時克倫威爾與魔鬼簽約的傳言令敵軍何其恐懼。

強盛的國會軍隊把整座城市封閉。最後一次拼命嘗試殺出重圍後，查理二世率領其突擊隊向東行進。他們沿著山路進入佩里伍德，可惜遇到了長矛和槍支。伍斯特已經淪陷了。蘇格蘭的最後一支皇家保衛主力軍隊被摧毀，倖存下來的軍隊成為奴隸。查理二世卻有幸逃往法國和荷蘭。

這場國會議員派和保皇派之間的英國內戰，最終由議員派勝出，伍斯特戰役是決定性一役。隨後克倫威爾於1653年建立了英格蘭聯邦，將蘇格蘭併入英國，1654年4月他發佈合併命令，蘇格蘭議會被取消，在英國議會裡增添30個議席給蘇格蘭的代表。

英國內戰期間，數以百計的女巫被焚燒或絞死，足證當時民眾非常忌憚與恐懼魔鬼代理人有所活動。吊詭的是，在東安格利亞、劍橋和亨廷登郡等

清教徒聚居地，克倫威爾原先得到大力支持；而在他與魔鬼訂契約的40年後，女巫審判亦始於這些新教徒。

查理二世逃往了法國，在當地生活了八年。1660年，查理二世從法國返回，英格蘭再次成為君主制國家，斯圖亞特王朝復辟，查理二世重新登上王位。至於克倫威爾，在內戰勝利的七年後，他患上了瘧疾熱，隨後出現尿毒症或腎病的症狀，並突然去世，這剛好又是9月3日。他逝世那天的晚上，一場猛烈的風暴席捲英國，一夜之間許多房屋被摧毀，船隻沉沒在英國海岸附近。不少人相信這是魔鬼來奪取克倫威爾靈魂的異象。

有人聲稱，儘管克倫威爾屍體經過防腐處理並放入了鉛棺，但惡臭依然難以忍受，其遺體必須立即被埋葬。結果葬禮在一個空棺材上進行。他被埋葬在威斯敏斯特大教堂。1661年1月30日，亦即查理一世被處決12週年之際，克倫威爾的屍體腐爛了，被帶到泰伯恩行刑場，遭人切成碎片，頭顱則掛在威斯敏斯特音樂廳的桿子上。這很明顯超出一般政治人物遭清算的力度，但如果說世人因為恐懼魔鬼才採取鞭屍式行徑，如此解釋倒十分「合理」。

魅魔
令人毛骨悚然的美夢

華人社會裡，「被鬼壓」是常見的中邪現象。儘管「專家」總是以睡眠麻痺等生理現象來解釋，指出此症狀每伴隨無法郁動及「被觸摸」的感覺。但親身經歷過的人大多不以為然，因為「被鬼壓」者除了動彈不得外，更可能見到黑影或白影，或聽到一些難以解釋的怪聲。

在西方，有一種遇魔現象與「被鬼壓」相似，但程度更勝一籌，因為當事人聲稱他們與邪靈性交（或遭性侵）。這類邪靈有一個專有名詞，叫魅魔。

晚上的侵擾

我們把魅魔歸類為「魔」而不是一般的妖精鬼怪，因為傳說中魅魔的出現與莉莉絲關係密切——至於莉莉絲是何方妖孽，本書後面章節會再論述。簡單來說，夜裡與魅魔相逢，可能是一般人最大機率「遇魔」的渠道。

在前述的遇魔個案裡，多數涉及一些邪術或契約，這似乎與有堅實宗教信仰的人無緣。可是魅魔卻無視這一規律，管你是信徒甚或聖徒，也免不了被魅魔找上門——或者，該說是找上床。

在互聯網的討論區或社交媒體上，每隔不久便有西方民眾聲稱遭受魅魔侵擾。

有人在網上匿名發佈年輕時與魅魔發生親密關係的經歷。這種體驗始於一

種手上的輕柔觸感，他初時並未意識到發生何事，只想知道正在發生什麼。漸漸，這種與異性交融的感覺延伸到全身，事主雖然看不見魅魔，卻聽到「她」在跟自己說話，還嗅到她的氣味。甚而，在事主的意識上，魅魔一直在變型，她可以改變髮色、眼睛、身體乃至種族。成長經歷裡，他一直沉迷於這份體驗，他自稱長大後成為了基督徒，才克服了不再沉迷於那露骨的場面。

越來越多人聲稱他們對魅魔的體驗是真實的。有一個人在互聯網發文稱，魅魔已奪去自己的靈魂，他將於三天內喪命。沒誰這麼空閒為此看來胡言亂語的瘋話進行fact check，我們無法得知純屬好事之徒胡謅，抑或千真萬確，事主已到地獄報到。總之就當深宵聽鬼故，聊備一說就是了。那人說，魅魔在身上盤旋。他感到已遭牢牢抓住，無法動彈，生起一種癱瘓的感覺。魅魔微笑詢問，他是否知道魅魔的所作所為及目的。但他還未作答，魅魔漂亮的臉忽然變成紅色，那是一種惡魔似的紅色，原先美麗的牙齒則變成了獠牙。她笑著告訴他，已經成功吸引了他的靈魂，他將在三天內喪命。說罷，魅魔就消失了。

許多人聲稱他們對魅魔的體驗是真實的
Image by Sean Paquet from Pixabay

並不是所有人都是無辜受魅魔「勾引」。有些人不僅樂意接受魅魔的誘惑，更試圖召喚魅魔現身。

召喚莉莉絲

一個匿名的男網民表示，自己曾向莉莉絲祈禱，希望她派出女魔與自己相好。猶如速遞的效率，魅魔很快來到他面前。那人形容，魅魔身材苗條、高大、皮膚白皙，紅色長髮如火燃燒。詭異的經歷，令他忍不住致電給他的霧水女友阿萊拉，她與他在一起睡了好幾個晚上。

堂堂魅魔自然不能召之即來揮之則去，女魔之存在旋即佔據了那人的生活，把阿萊拉趕了出門。他與魅魔的互動方式也發生了變化。有時他只能在腦海中看到女魔，或者在腦海中聽到她聲音。但有些時候，即使他身處公眾場合，魅魔也會毫無先兆突然出現在他面前。那人推測，魅魔這種行徑，也許是在某種惡意力量的控制下進行的。

幾個世紀以來，不少人認為祈禱或宗教生活可提供保護，讓他們免受包括魅魔在內的邪靈所侵害。可惜，有些個案不留情面地反證，虔誠未必管用，有時反會適得其反——魅魔似乎對某類懷有信仰的人特別感興趣。也許，越是難得越具挑戰，無論對人對魔來說皆無二致吧。

19世紀的法國作家JK休斯曼斯（JK Huysmans）自述曾成為魅魔目標，而他遇魔之地竟是修道院！

當時休斯曼斯在修道院房間睡覺。他之所以來到修道院，目的是朝聖，這緣於他一生從事超自然現象探索，這次朝聖旨在幫他恢復童年時期的基督教信仰。休斯曼斯乍然醒來，瞥見一隻魅魔霎眼消失。他確信這不是夢，

因為他睡在床上已可證明魅魔曾經現身——大概他只是伏案打個盹，本來並未躺在床上吧。當時有人相信，Incubi（男性惡魔）試圖性侵其女性目標時，也會出現類似現象：當事人事後發現自己「非自願」地躺在床上。

有些個案，儘管細節上與傳統意義的魅魔不符，由於當事人堅稱那是魅魔，姑且便一併探討。一名居於加利福尼亞州貝克斯菲爾德（Bakersfield）的年輕人伊森（Ethan）說，2012年12月，他深夜時分獨自回家。由於當日他一整天都泡在學校聽講座和學習，回到家裡已累得筋疲力盡幾近崩潰。

躺在床上正欲睡覺，然而他總是心緒不寧，擔心有什麼人或事物會闖入家裡，甚而進入其臥室，這或許是一種預感也說不定。不幸的是，這份預感化為真實，伊森忽然從睡眠中驚醒了——他感到有東西闖進臥室裡。

張開雙眼的伊森嚇得呆了，他看到一個「實體」飛到自己床後面的牆上。毫無理由地，伊森認定那「實體」就是魅魔，及後亦以魅魔來稱呼它。伊森感到魅魔使自己無法動彈，四肢彷彿給固定住，耳朵更開始振動甚至疼痛。他驚得大聲呼救，更詛咒這不明來歷的物體，但換來的只是魅魔令人恐懼的嘲笑聲。

突然，魅魔意義不明地喊道：「快！」接著便放開了驚慌不已的伊森。伊森衝過去開燈，燈一亮，房裡卻什麼異狀也沒有，「實體」也不見任何蹤影。這是伊森太疲倦下產生的幻覺，還是魅魔因某些緣故逃遁離去？唯一佐證是伊森的狗在門外用力咆哮，仿如知曉發生什麼似的。伊森走進洗手間，鏡子中的自己，雙眼充滿血絲，形貌之可怖，連他自己也大為震驚。

Mystery 2

魔宗

666

神、魔、人，三界不鼎立。神靈受人所膜拜，惡魔為人所畏懼，卑微的人類偏偏無法自立自強，老是成為神魔的「磨心」，神要滅魔去彰顯能力，魔惑眾生使人遠離神道。透過人的宗教行為，我們可以見到魔的身影。在主流宗教，魔的所作所為以「大反派」身份記錄下來；在魔宗邪教，魔的主張理念被信徒宣揚傳承。魔的真身，或許你未見過，但望著人，你就會見到魔。

西方魔鬼
觀念的發展

主流學說裡，人類歷史發源於米索不達米亞。當時的神話，已有類似惡魔的觀念。例如古代巴比倫人相信地下世界是「不歸之地」，那兒由尼甲神（Nergal）所統治。尼甲是殘暴的戰爭及狩獵之神，有「烈怒之王」、「暴怒者」之稱，能降瘟疫，專職焚燒人類。但在位階上，宜視祂為「邪神」或「惡神」為妥，與現今意義的惡魔終究有些區別。

誰為神魔定分界

華文世界裡，「魔」一詞乃是輸入而來，當初創字就是為了翻譯佛經上的概念。巧妙地，「魔」字用來翻譯西方devil（魔鬼／惡魔）的概念可謂妙手天成、恰到好處。不過，儘管東方佛道二教均有魔說，但世人一聽到魔鬼，第一印象總會聯想到以耶教文化為首的西方魔鬼對應上。是以本篇會側重講述西方魔鬼觀念的發展。

傳統基督教，當然認定自家宗教古已有之，其他宗教只不過是魔鬼干擾人信仰的雜音。然而宗教學者（非神學家）與歷史學者持不同見解：世上早存在許多不同宗教，這些宗教的出現往往較猶太人的宗教更早。這些異教的神明，其後被基督宗教吸收並貶斥為「惡魔」。而對於魔鬼的想像，往往是建基於特定民族的文化風俗中，所以在不同地域間有差異也不足為奇。

譬如有一個19世紀的神職人員，聲稱自己30多年來都被一隻叫「鐵鈎」的魔鬼所折磨。他聲言，世上有700萬隻魔鬼，每個人都有他的守護天使。這些言論是符合當時天主教教義的。

經歷一個漫長的過程，魔鬼這傢伙，發展至中世紀，長時期與歐洲社會的宗教、文化、甚至刑法千絲萬縷地交織在一起。

魔鬼越凶　教會越有權威

魔鬼存世已久，但到了公元12至13世紀，一種名為「撒旦」的形象才廣泛出現在藝術作品和人類生活中。從12世紀到15世紀，歐洲統治者統漸接受神學上的「魔鬼」概念。但另一方面，魔鬼一度在歐洲民間有別種面貌，它們不僅不恐怖，反而外形與人相似，可以被捉弄、被擊敗。但這種面貌隨著日子過去，被「邪惡恐佈」的一面完全佔上風。12世紀的歐洲戲劇，每把魔鬼充當戲謔對象，這些魔鬼通常被塑造為受人愚弄的喜劇角色。

但經院派的神學家，卻力圖讓信徒分清黑白正邪，致力推動一種更激進的魔鬼論。他們形容，魔鬼是火與硫磺的地獄統治者，手下邪靈眾多，也可以隱藏在罪人的內心乃至身體裡面。

在公元後第一個1000年中，神學家並未從他們眼中的正典中歸納出一個魔鬼之王的統一觀念，各種魔鬼學說紛紜，彼此大有不同甚至互相矛盾。隨著教會發展，教廷主教們需要為各種因敘述差異而產生的歧見作一統合含義，於是逐漸把「引誘人犯罪的蛇」、「叛神的天使」、「強人的龍」等要素結合在一起。

有些宗教學者指出，耶教建立撒旦的形象時，借用了近東宗教的正邪對立

觀念，但由於基督宗教的一神概念，不可能接受一個能與神抗衡的存在，於是演化出上帝容許魔鬼存在是為了從中引出人的善，魔鬼雖是上帝之子的對手，然而最終魔鬼必會被擊敗，這是上帝計劃的一部分。

基督徒相信，魔鬼雖是上帝之子的對手，但最終必會被擊敗。
Verzoeking van Christus door Satan, Boëtius Adamsz. Bolswert, after Abraham Bloemaert, Public domain

魔鬼論不斷演變

今天的信徒很難相信如今在神學上牢不可破的觀念，昔日曾受教會中人不斷修正與改變。

譬如6世紀末的教宗格利哥里一世提出天國概念，共分為九級，最高層級是上品天神，當時此觀點在歐洲廣泛流傳，有人更以此提出「路西法」曾是最高層級的神靈。（註1）787年的第二次尼西亞大公會議，教會表明魔鬼的軀體擁有「空氣」與「火」兩大元素；但到了1215年拉特蘭的第四次大公會議中卻一反之前論述，斷言指魔鬼只是純粹的精神產物，沒有任何形體物質。（註2）

但修士拉烏爾宣稱，他一生中遇過三次魔鬼，據他的形容，魔鬼並沒有什麼「恐佈之王」的特徵，反而更像一隻醜陋、畸形的侏儒形象：那魔鬼中等身材，頸部細長，面容清瘦，眼睛漆黑，額頭皺紋粗糙，鼻孔緊閉，嘴部突出，嘴唇發腫，一口尖牙。下巴又塌又直，長著山羊鬍子，耳朵細長且毛茸茸，腦袋尖突、頭髮豎起，駝背，屁股老在抖動，穿著

一身骯髒的衣服。（註3）

12、13世紀以前，歐洲大陸裡關於魔鬼的描述是百花齊放的。本來，凱爾特人、日耳曼人、斯拉夫人、地中海的民眾都有自己民族信仰觀，但後來都受基督宗教某程度上的滲透。反過來說，儘管基督宗教絕不容忍另一個宗教的存在，但對於魔鬼的概念，也基於這些不同民族的「新信徒」習俗，而把他們的部分傳統重新詮釋。這些被吸納的魔鬼特徵來自歐洲各地，並未形成一有機整體，而是或隱或現的散見各種魔鬼造形裡，例如凱爾特人的豐收獵之神——撒努努斯，便被「魔化」為耶教魔鬼的一部分。又例如，山羊作為魔鬼的最常見形象之一，也很可能是把希臘神話中的畜牧神「潘」和北歐神話中的雷神揉合起來的結果。譬如「潘」擁有犄角、大鼻子，全身覆蓋羊毛，碩大的生殖器。此外，民間一直流傳魔鬼身軀是黑色或紅色的。

447年的托萊多大公會議對魔鬼的描述為：又黑又高，耳朵像驢耳，兩眼發光，腳上有爪，長著壯大的生殖器，渾身散發硫磺氣味。這些特徵，實難以區分何者出自神學理論，何者源自民間傳統或其他宗教信仰。

據作家但丁的形容，撒旦是一個三面魔王，三張臉都在不斷吃人，吞噬著地獄中的罪人。而它的手下，龍、蛇、小魔鬼則追擊折磨那些罪人。在法國索略（Saulieu），魔鬼身材一如常人，但背上長著雙翼，猴腮尖嘴。

自14世紀，撒旦的身材越變越高大。可以說，撒旦（路西法）的權勢乃透過它高於其他魔鬼的造形而彰顯出來。意大利比薩聖徒領域教堂、托斯卡納的聖吉米尼亞教堂的壁畫，撒旦的身材特別龐大，統率一群小魔鬼，小魔鬼把打進地獄的罪人碾碎吃掉。其後，撒旦在藝術作品中的「王權」益

發加強，例如1456年特奧菲盧斯的作品中，把撒旦描繪為坐於高台寶座，頭戴皇冠、手握權杖，穿著華麗的王袍，身邊還有一群顧問臣子。

可以說，教會把魔鬼塑造得越恐怖強大，越能加強信眾對教會的順從，對地獄的威脅形容得越嚴重，越能促使信徒產生罪咎感，並通過懺悔來免受下地獄的懲罰。從14世紀開始，對地獄酷刑的詳細描述，更為教會訂定的司法裁判提供理論基礎：既然上帝也會用地獄之火嚴懲罪人，教會也可用酷刑來對付異端。這使教廷的裁決更顯得不容反駁，不能違抗。在這背景下，魔鬼成為教會或皇權用來控制社會和監管意識的工具。

魔鬼恐慌　獵巫的根源

中世紀末期之後，魔鬼的形象已有根本轉化，這是傳教士與民眾的設想所糅合得來的產物。撒旦成為一種能引發公眾恐慌的標誌。

15世紀以降，教廷針對異端邪說的態勢越趨強烈，魔鬼成為教士用來攻擊異己的強力工具，而指控他人施行巫術，也等同指控那人與魔鬼締結關係。除了教會，主張巫術魔鬼化的人，還有法官及地方宗教裁判官。

一些活躍於阿爾卑斯山區和勃艮地時期荷蘭部分地區的異端教派，如伏多瓦教派及蒂爾呂潘派，皆被指控為巫師所操控的團體。受審判後，這些異端份子被罰在戶外戴上貼有魔鬼裝飾的帽子示眾。

這些教派其中一項宗教活動備受攻擊，稱為「夜會」。逢周六，這夥人會在遠離城鎮的城門外，目的是尋求黑夜的保護。究竟夜會有什麼活動或儀式？從一宗異端審判案中，我們或可見到一些端倪。當然，在那年頭，受

審之人總逃不開刑求，所招供的證言有多少「被迫承認」的成分，我們實在難以確定。只能說，當時教會及無數民眾是如此認定夜會的魔鬼性質。

1459年，一個阿圖瓦藉的修士被判以火刑，嚴刑迫供下，他除了承認自己的罪行，還供出了兩個同伙。順藤摸瓜下，更多人受到牽連。1460年，阿拉斯（Arras）教區宗教裁判官和教皇代表會審此案。這夥人的罪名包括：與魔鬼通姦、拋棄上帝信仰、向魔鬼承諾不去教堂、召喚魔鬼並接受其回應、進行魔鬼祭祀儀式、進行褻瀆上帝的行徑，例如在地上畫十字用腳踐踏以示蔑視等。其中兩人還犯上殺人罪，一個殺了兩名兒童，另一個女人更把自己的孩子獻給魔鬼。

民眾相信，女巫會於「夜會」中殺害兒童。
Image by RENE RAUSCHENBERGER from Pixabay

巫魔夜會上，一名骨幹成員會攜帶一本關於黑夜的邪書向眾人朗讀。然後參與的信眾會進行群體交媾，他們更會殺害新生嬰兒，用以進行食人儀式，或為了製作巫術藥粉等。16世紀描繪巫魔夜會的畫作十分豐富，當中不乏死屍被割開破肚、燒煮人體、吮吸人血等血腥場面。

另一個歷史上赫赫有名的耶教排除異己的行動是——「狩獵女巫」。女巫之所以成為人類邪惡的代表，源於人們對異端邪說的排斥與恐懼，並逐漸聚焦到「被魔鬼附身」的女巫身上。

在12世紀以前，傳教士多認為魔鬼是非物質的（魔鬼是由天使墮落而來，天使也是非物質的），因此人不可能與魔鬼發生肉體關係。

但自12世紀開始，這觀念逐漸產生變化。這與「煉獄」觀念的發展正好吻合：當時的歐洲人是這樣看問題的：如果煉獄可以「實質地」懲罰靈魂，那麼，惡魔也可以和人發生性關係。世人對於男夢魔與女魅魔誘惑人的看法由此發展起來，它們可以化為英俊小子或迷人女郎去誘惑人類，形而上是使人的精神墮落，形而下是使人的肉體沉淪。而另一個被視為與魔鬼產生肉體關係的，便是女巫。

神學理論家相信，魔鬼既然不是純精神產物，就可以在女巫身上留下印記並與她們發生性關係，甚至附身於女巫。本來，魔鬼處於上帝的嚴密控制，對人身的操控只能是暫時性的，但對於巫師卻可以例外。

這是因為女巫接受異端邪說，並接受魔鬼對身體的長期侵佔，讓邪惡深入軀體器官，顛覆了上帝對人體的設計。1487年出版的第一部關於驅除女巫的有名著作——《女巫之槌》，裡面詳述女巫的起源和發展、她們如何向魔鬼出賣靈魂，以及女巫的各種危害行為。

時人偏見認為：女人的本性是造物主的陰暗面，她們比男人更接近魔鬼。她們偏愛迷信，故此魔鬼更喜歡寄生在女人身體裡。當時的人還相信，不能讓女巫碰到自己的手，也別去看女巫的眼，恐怕給巫師用某種

手段造成傷害。

於是，史上著名的大規模「獵巫」行動於16世紀末從意大利到北海之間的走廊地帶發起，逐漸席捲整個德國，並在之後影響歐洲中部和東部。16至17世紀期間，歐洲整個大陸深深受「魔鬼」這概念困擾，製造出成千上萬宗女巫火刑案。

魔鬼契約

15世紀興起的另一個人與魔鬼產生關係的概念是「魔鬼契約」。魔鬼契約涵蓋了各地傳播的民間信仰，諸如煉金術、占星術等。那年頭的神學家認為，一個典型信奉撒旦的教派包括三個基本要素：和魔鬼簽契約、舉行巫魔夜會，以及使用巫術。

隨著時代轉變，西歐人對魔鬼的看法也不斷變更。天主教會的教條不容置疑地認定：魔鬼是存在的。他們存疑的只是魔鬼是否有能力直接干預這世界。從中世紀的神學流派宣稱，撒旦無法直接作用於人身或物質，其影響力只能靠暗示來發揮；到14至17世紀人們對魔鬼恐懼得近乎歇斯底里，撒旦的影響力可謂達到歷史高峰。

17世紀40年代現代科學思想萌芽，懷疑論亦隨之抬頭，一個關於魔鬼的觀點冒起：魔鬼，只不過是人類身上之「惡」的象徵。抱持「魔鬼真實論」的教士察覺苗頭不對：如果世人承認魔鬼只是虛幻，那麼宗教也可能隨之陷入泥沼。他們的思路是這樣的：如果魔鬼不存在，人們很快也會覺得上帝也不存在。上帝與魔鬼兩個概念實際緊密地連繫一起。正如《宗教與巫術的衰落》（Religion and the Decline of Magic）作者凱斯•托馬斯（Keith Thomas）所言：「內在魔鬼是內在上帝概念的重要補充。」

61

時代論戰

堅信魔鬼真實存在者，與持否定意見的人展開劃時代的論戰。世人因恐懼撒旦從而畏懼並敵視巫師的情況稍有紓緩，但許多地方如奧地利帝國、波蘭、匈牙利、葡萄牙諸國，直至18世紀時仍有許多巫術訴訟案。

歐洲人放棄「獵巫」的轉捩點始於1682年。這一年的法國，國王路易十四和大臣柯爾培爾及盧瓦推出一項法令，以一種「曖昧」的方式終結過去「魔鬼問題，法律解決」的狀況。一方面，它並未明確否定巫魔夜會和魔鬼契約的存在，另一方面條文規定只對褻瀆聖物或使用毒藥的行為需要處死，其餘像占卜師、巫師、術士等人最多驅逐了事。

其時許多法官一直相信魔鬼真實存在及具危險性，這法令的重大突破在於迫使這群人接受一種新立場。事實上，自1682年法令頒佈後，18世紀的巫術訴訟案便逐漸減少。惡魔論的爭議從此停留在信仰和神話層面，對普羅大眾的影響力不復以往。（註4）

當然，天主教派高層仍忠於魔鬼真實存在的教條。1879年，教宗良十三世（Leo PP. XIII）頒佈《永恆之父》宣告托馬斯神學永久正確，而在托馬斯神學中，魔鬼是客觀存在的。教宗聖保祿六世（Sanctus Paulus PP. VI）在1972年再次確認此一觀點。教宗聖若望保祿二世（John Paul II）在任期間，在羅馬教區中，重新復興訓練神父古代驅魔儀式是其優先事項。2014年7月，在教宗方濟各的加持下，驅魔人國際協會（International Association of Exorcists）獲得教會的司法承認，梵蒂岡正式承認在30個國家中有250名神父驅魔人。

整個耶教文明的發展進程，與「魔鬼」這一大反派關係一直密不可

分，其「魔力」是否真的已消逝？在後面章節，我們繼續探討惡魔們的所作所為。

註1
Jeffery Burton Russel, Lucifer. The Devil in the Middle Age, Ithaca-Londres, Cornell UP, 1984.

註2
Jules Baissac, Le Diable, La personne du diable, Le personnel du diable, Paris, Maurice Dreyfous, s.d., p.118

註3
Georges Duby, L' An Mil, Paris, Julliard, 1967, p. 138.

註4
本篇文章史料主要引述自《魔鬼的歷史》(Une histoire du diable)，[法]羅貝爾.穆尚布著，張庭芳譯，廣西師範大學出版社，2005

驅魔與精神病

歐洲大陸昔日的獵巫狂熱，如今雖事過境遷，但對於部分耶教人士而言，世界依舊魔影憧憧。在他們眼中，兒童故事《哈里波特》鼓勵兒童相信黑魔法，是助長魔鬼的勢力；東方人修煉瑜伽和冥想，也是魔鬼的工作。

官方驅魔人正邪對決

已故的天主教官方驅魔人加俾額爾·阿摩特（Gabriele Amorth）神父堅信這種極端觀點。他於1990年創立國際驅魔人協會，2014年該協會被梵蒂岡正式認可，其後阿莫斯擔任該會終身名譽主席。身為保守派的阿摩特亦反對離婚、墮胎和同性婚姻。令人懷疑，假如他活在16、17世紀，會否是主張獵巫的中堅份子。

歷史上獵巫的荒誕誠然讓人搖頭嘆息，但我們也不能因此斷定「驅魔」是子虛烏有。根據2007年蓋洛普民意調查，約70％的美國人相信魔鬼的存在。在全球需要驅魔的個案，似乎越來越多，包括美國在內。梵蒂岡於1998年發佈了一套新的指南，以取代自1624年以來使用的

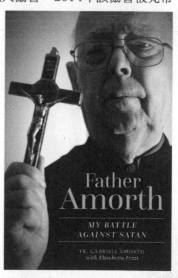

"Father Amorth: My Battle Against Satan"

手冊，並培訓更多驅魔神父以應付需要。天主教領袖說，現在於美國的驅魔人比過往任何時候都多。據美國印地安納州中部印城的文森特‧蘭珀特神父的說法，2016年美國約有50名活躍的驅魔人，這些人皆由主教所指定，半定期打擊惡魔活動，而此前十年只有12名。梵蒂岡於2018年擴大了年度驅魔課程。美國阿肯色州小岩城的天主教神父喬希‧史丹格（Josh Stengal）說，這是由於「對上帝的信仰日益缺乏，並且現代社會對神秘學越來越感興趣。」阿莫斯在2016年去世前更曾聲稱，一生進行過約六萬次驅魔。

現代社會對驅魔的需求並不少。
Image by emersonmello from Pixabay

飄浮空中的路西法

1997年，一個年輕的農民被送進一個小房間，他需要接受驅魔。阿摩特一進入房間識感受到一股邪惡氣息。阿摩特向耶穌求助，被「附身」的年輕人開始咒罵和吐口水。年輕人的母語是意大利語，但這時，他以英語咒罵神父並吐口水，高聲吼叫，又準備攻擊神父的身體。

阿摩特說，那人的詛咒和威脅只針對驅魔人，他以祈禱和其他儀式回擊，要求惡魔說出名字。「不潔的靈魂！無論你是誰，以及所有侵擾上帝僕人的邪魔……我此刻命令：告訴我你的名字。」年輕農民瞪了他一眼，咆哮說：「我是路西法。」

阿摩特大為震驚，沒料到會得到如此驚人的答案，但他堅信必須繼續前進。阿摩特唸誦羅馬驅魔儀式的解放詩句，年輕人不住尖叫，轉過頭來，眼睛如同反眼白，背部彎曲近15分鐘。

情況僵持未變，房間變得極冷，窗戶和牆壁上形成冰晶。阿摩特不斷命令惡魔離開，年輕人身體忽然變得僵硬，然後開始漂浮！他足足在三英尺空中徘徊了幾分鐘！接著，浮力仿若消散不見，那人掉在椅子中，這次驅魔儀式算是告終。

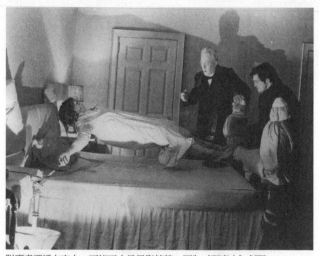

附魔者漂浮在空上，可能不止是電影情節。圖為《驅魔人》劇照。

阿摩特只離開了一天，隨後定期拜訪年輕人並為他祈禱，直到他不再抵抗為止。阿摩特感到那人處於平靜狀態，便問魔鬼如何離開他的身體。年輕人說，有一天他不能自制的哭嚎，之前從未試過如此。但在這之後，他感到了輕鬆與重生。

阿摩特驅魔每次平均約30分鐘，他通常在一天的早上進行五次驅魔，僅需預約，甚至通過電話或視像進行驅魔同樣可以。他指出驅魔往往並非一次使行，許多時需要在同一人身上持續進行，有時需要數年，方法可以透過簡單祈禱，也可進行全套儀軌。在一般嚴重的個案中，如果那人能於四、五年內得到解放，他已感到滿意，甚少能在幾個月便成功驅魔。

在其驅魔生涯早期，他從意大利布雷西亞附近的一名牧師內格里尼（Negrini）得知，14歲女孩Agnese Salomon被惡魔附身。阿摩特陪同內格里尼與女孩會面，內格里尼問惡魔為什麼要選這女孩，魔鬼回答：「因為她是教區中最好的。」原來有信仰和虔誠，不代表你可絕對免受邪魔侵擾。阿摩特說，那女孩直至直26歲，方才脫離魔掌，足足受難了12年。

如果需要親自面對面驅魔，阿摩特會請親友把附魔（或受魔鬼壓迫）者帶到他的驅魔室，驅魔室內有扶手椅及床，牆壁上掛著若望保祿二世的照片，阿摩特說，魔鬼在照片面前會變得非常煩躁。當事人會被綁上膠帶和皮帶，而阿摩特則運用兩個木十字架、一個裝滿聖水的灑水器和一小瓶奉獻的油。在阿摩特的經驗中，九成著魔個案涉及邪惡的咒語，當事人曾受到撒旦信徒（或以魔鬼般行為行事的人）挑釁。剩下的10%到15%的人曾參加神秘活動，例如撒旦教派集會，或接觸過巫師和算命先生。

魔鬼的口水與痰

神父驅魔，難以一擊奏效，每多陷入漫長抗戰，似乎惡魔能力不可小覷。而魔鬼面對驅魔人，往往試圖反擊，牠們的武器之一，竟然是口水！

會吐口水的附魔者很常見。「他們試圖猜測確切的時機來攻擊你」阿摩特說。口水吐得急勁若箭，廣東話戲稱「放飛劍」。阿摩特便曾給附魔者的「飛劍」擊中。痰涎臨頭，除了污穢，原來還有別的恐怖之處，那是一種超自然現象的具現化，三顆釘子忽然在阿摩特嘴裡出現！這位驅魔人其後一直保留這份來自惡魔的「紀念品」。

阿摩特表示，有一點經驗的驅魔人均會保護自己免受吐痰攻擊，他們嘗試將手帕或紙巾擋在臉上。見到口水襲來，阿摩特會及時把手放在嘴前。

無宗派的驅魔人

別以為驅魔是基督宗教的神職人員如神父、牧師、傳道人的專利，許多宗教皆不乏驅邪治鬼的傳統，道教道士作法、佛教高僧誦經，對於東方的華人早已耳熟能詳。但世上也有無宗無派的驅魔人，其中一個是瑞秋 • 斯塔維斯（Rachel Stavis）。

在驅魔室裡，燃燒草藥的煙霧縈繞，瑞秋仿若現代的薩滿，手執搖鈴，揮舞匕首，在氣氛緊張的空氣中，她深吸一口氣，從精神世界召喚來「更高層次的生物」，讓這等生靈協助病患擺脫邪魔。為免神聖的場域受到干擾，所有進入驅魔室的人必須脫鞋，禁止攜帶任何金屬，珠寶或手機。

正職為恐怖編劇和小說家的瑞秋，只在公餘為受邪魔所困的人無償驅魔，求助於她的包括荷里活演員、電影老闆和政治人物，其「等候名

單」中不乏知名人士。她的綽號也相當具荷里活味，人稱「黑暗修女」
（Sister of Darkness）。

在加利福尼亞長大的瑞秋自小就發現自己的不凡，她意識到可以看到別人
看不到的東西——小時候，瑞秋稱它們為「怪物」。她看到怪物漂浮在臥
室周圍，也會附在其他孩子身上；怪物有時擁有一張臉，有時卻沒有。華
人讀者看到此處，腦海想必會浮起一個名詞——陰陽眼。

正如絕大多數能見鬼的孩子一樣，瑞秋壓根兒不喜歡這份天賦，她試圖
忽略眼前這非常可怕的怪物，甚至不再談論它。皆因每當提及如此駭人
的「見聞」，旁人莫不視之為瘋狂。所以，她閉口不言，把所見所聞藏
起來，繼續如常生活，還成為一名作家。

但隨著她長大，成年後發生一系列事件，促使瑞秋接受自己的獨特能力。
她發現，自己可以感到惡魔存在的原因，更擁有治癒他人的能力。自此，
她開始幫助他人脫離邪惡力量的困擾。

電影《驅魔人》原著小說是瑞秋最喜愛的書，她認為電影版本所描述的現
象與她眼中世界十分接近：惡魔將自己依附於人類藉以「覓食」，從而獲
得牠們賴以生存的低頻能量。她為遇過的惡魔命名並予以分類，當中最常
見和最細小的惡靈，稱之為「克萊夫斯」（Clives），因為它們看起來像
藝術家克萊夫・巴克（Clive Barker）的畫作。至於邪靈會否引起人們產生
夜間驚恐，甚至造成更危險的「幽靈傷害」，則因人而異。

瑞秋聲言，有些很少見的邪魔懷有更大惡意目標，它們正在世界範圍內尋
找改變遊戲規則的人。「儘管老套，但善與惡之間的戰爭的確持續進行，

每天都在上演。這些邪惡實體試圖將天秤推向黑暗一端。」

附魔與精神病不易區分

信者互信，不信者互不信，不信鬼神者一概把中邪附魔視作精神病。事實上，某些個案中，附魔與精神病界線模糊，不易區分。

艾美・斯塔瑪提斯（Amy Stamatis）於2006年11月從位於美國阿肯色州瑟西（Searcy）的家跌落磚製露台後，腰部癱瘓。事情有點詭異。事發時，艾美爬出敞開的窗戶，危坐在窗台上。她堅稱自己沒有跳下去。

不過幾個月之前，艾美一直受黑暗負面思想所困擾，一把聲音叫她去自殺。儘管她有尋求治療，但聲音從未停止。她認為自己的精神正在崩潰。

艾美是護士，在跌倒前七個月，她負責照顧燒傷患者，在醫院進行24小時輪班工作。有一天，她將病患者移上擔架並完成報告後，她發現自己漫無目的地在急診室大堂裡徘徊。她忽然忘記如何繼續工作。

「照顧好患者後，我就茫然了，腦海一片空白。」艾美說。那是她在醫院最後一次工作。本身為馬拉松運動員的艾美，從此再無法直奔，甚至無法處理簡單的事務，例如挑選衣服。

艾美告訴丈夫自己患有神經衰弱症，開始到精神病院求診。她被診斷出患有各種精神疾病，醫生給她開了抗抑鬱藥，但是腦中聲音持續不斷，艾美的行為變得無法預測。與親戚聚會時，艾美在屋內脫光衣服；往醫院看病時，她對前同事大喊大叫。

艾美和丈夫前往明尼蘇達州的梅奧診所尋求專科治療時，還出現了特別緊張的一幕。當時艾美擺脫了醫生，爬了七、八層樓，直到停車坡邊緣，揚言要跳下去。幸得丈夫和警察說服了她。

可是，她腦中怪聲依然。位於瑟西市中心的基督教堂，為艾美舉行了祈禱儀式。五旬節福音傳教士仙蒂·勞森（Cindy Lawson）參與了活動。仙蒂並不屬於該所教堂，甚至從未見過艾美。但聽到事情原委後，她決定前赴探望艾美。

剛到醫院，艾美一見到仙蒂，睜大了眼睛。

曾施行十次驅魔儀式的仙蒂揚言：「我可以看到惡魔」，立即在現場開始祈禱。艾美，或者該說是體內那東西，則怒叫回應。

「你為什麼在這裡？」艾美咆哮道。仙蒂拿出祝福過的膏油，抹在艾美的額頭上，著手驅魔，奉耶穌之名命令惡魔釋放艾美並從軀體裡出來。艾美面部表情發生變化，仙蒂認為，上帝的靈已降臨那房間。

在仙蒂驅魔之前，艾美被診斷出患有罕見的化學失衡，稱為卟啉症，那會引起癲癇、腹痛、神經系統功能障礙和精神錯亂。然而，艾美始終認為自己被附魔，還說：「在醫學界，他們需要為症狀起個名字。他們不了解，因為他們從未與這些惡魔打交道。你如何與你不了解的東西作鬥爭？」（註1）

的確，附魔的種種症狀，諸如抽搐、歇斯底里、失去記憶，看起來與癲癇和精神分裂症等症狀非常相似。

某些個案中，驅魔儀式確實幫到當事人，但也有出現反效果的案例，尤其對精神病患者來說，甚至可能致命。2005年，一名接受精神分裂症治療的羅馬尼亞修女，在嚴格的東正教驅魔儀式中死於窒息和脫水。2007年，新西蘭兩名毛利人接受驅魔期間，一名22歲人士淹死、另一14歲孩童受到重傷。（註2）

精神病學家遇上驅魔人

「我評估過的大多數人都患有更平常的醫學疾病問題。任何對精神疾病熟悉的人都知道，認為自己受到惡魔攻擊的人，通常沒有經歷過任何事情。」紐約醫學院的臨床精神病學教授李察·蓋勒格（Richard Gallagher）說，許多聲稱看到或聽到惡魔的人，本身體質高度易受暗示，例如患有解離性身份綜合症（Dissociative Identity Disorder），或為人格障礙患者。但與大部分專家不同的是，他不會簡單地把所有著魔個案獨沽一味認定為精神病，他是與驅魔人合作無間的精神病醫生。

李察博士過去與天主教神父共同合作，協助後者區分那些附魔個案，究竟是患有精神病，還是當真中邪。

「無知和迷信經常圍繞各種文化，他們都存在著魔的故事。許多所謂的著魔情節，都可以通過欺詐、騙子或精神病學來解釋。」

李察認為，在某些圈子中，有一種「到處看到魔鬼」的趨勢。他表示，一些神職人員在診斷著魔中邪方面，並不如他們宣稱那樣「謹慎」，但天主教會已採取措施來避免誤診。「原教旨主義者的誤診，以及荒謬甚至危險的『治療』，例如毆打受害者，有時會發生，特別是在發展中國家。這也許解釋了，為什麼驅魔在某層面含有負面形象。」

但李察覺得，全面否定惡魔侵襲世人的可能性，比起客觀地評估每一宗個案更不合邏輯，甚至一廂情願。在他看來，眾多見證人的口供及書面歷史記錄，皆證明了附魔的真確性。

李察在普林斯頓大學畢業，並於耶魯大學接受了精神病學培訓，及在哥倫比亞大學接受了心理分析培訓。1980年代後期，當時正值美國的「撒旦主義恐慌」高峰，一位富經驗的神父驅魔人向李察徵詢意見，由此開始了一種貌似不太可能的伙伴關係：他協助來自不同教派和信仰的神職人員判別那些「附魔者」是否患了精神疾病，而這佔絕大多數病例。

大多數科學或醫學界專家定必對如此一項受爭議的「工作」說不（更何況是無償的），他們對超自然現象普遍持懷疑態度，以及他們僅會採用經過同行評審的標準治療方法。誠然，這些治療方法，較不會出現偏差或傷害患者。

「但是我看不到我的職業生涯與此存在衝突。塑造我作為教授和精神病醫生的習慣——開放的胸懷、對證據的尊重，以及對受苦人士的同情心——促使我將這些極為罕見的事件與醫療狀況區分開來。」

「仔細審視我在職業生涯中遇到的證據，使我相信某些極端罕見的案件無法用其他方式解釋。」雖然李察傾向於懷疑主義，但有些受檢者的行為，超出了他的專業訓練認知。

那次李察處理一宗自稱是撒旦大祭司的個案。她自稱巫婆，打扮得很整整，深色的衣服飄逸，黑色的眼影籠罩著太陽穴。在李察和她的對話中，她承認崇拜撒旦。而令李察難以索解的是，那巫婆可以告訴某些人他們的

秘密弱點，她知道一些她不認識的人是怎麼死的，包括李察的母親，還說出致死原因是卵巢癌。

「後來有六個人向我保證，在她的驅魔期間，他們聽到她說多種語言，包括拉丁語。這不是精神病，那我只能形容為超自然能力。我得出的結論是她被附身了。」

李察相信他已經看到事情的真實。這些被附體的個案可粗略分為兩類，一種是被身體被惡魔侵佔，宛若成為惡魔的財產；另一種是稍為常見但情況較不嚴重的攻擊，他們稱之為「壓迫」。

據李察觀察，一個被附魔的人，可能突然以一種發呆的狀態表達出令人震驚的怨毒和對宗教的蔑視，同時說出他們以前不懂得的各種外語，乃至各樣「隱藏知識」，例如陌生人的親人何時死了，他們犯下了什麼不為人知的罪惡等。附魔者還可能發出巨大力量，甚至出現極為罕見的「懸浮現

精神病與附魔不易區分
Image by cottonbro from Pexels

象」。雖然李察本人並未親眼目睹過懸浮現象，但是與他一起工作的六個人發誓說，他們在驅魔過程中見過懸浮現象。

凡此種種，李察認為難以用純粹的物質現實來處理，而是涉及精神領域，只能通過超心理學或超自然能力來解釋。至於為什麼這些個案不能透過科學方法來研究，李察如此解釋：「不能強迫這些『生物』進行實驗室研究或接受科學觀察；他們也幾乎不會像懷疑論者所要求的那樣，讓自己輕鬆地被視頻設備記錄下來。官方的天主教教義認為，惡魔擁有自己的意志；因為他們是墮落的天使，比人類還狡猾。畢竟，這是他們造成混亂和懷疑種子的方式。而且教會也不希望泄漏受害人的隱私。」（註3）

判別的準則

天主教認為，只有經過主教培訓和授權的牧師才能進行「莊嚴的驅魔」。基督教則視乎派系，規定似乎沒那麼嚴格，但一般也建議曾受訓和對信仰堅定的人，才好為他人驅魔。天主教的書面文件說，疾病，尤其是心理疾病，應該通過醫學來處理。因此，在進行驅魔之前，重要的是確定那個人正在面對邪惡的存在，而不是疾病。但是，除非有精神病醫生在傍協助（李察的經歷告訴我們，這是很難得的），天主教或基督教的神職人員如何判別眼前的人是附魔者還是精神病患者？大體而言，他們會參照以下準則（註4）：

- 一般有問題的精神病患者所說的，只是一場串非邏輯，無意義的言語。從馬可福音的記載來看，鬼附者與耶穌的對話，是完全不屬這一類的。
- 精神病患者常會自言自語，或不時與影子（自己的或他認為是向他顯現的影子）交談幾小時之久，並且以最古怪的表情說出最荒謬的意念，這些是鬼附者少有的表現。

- 精神病患者的頭腦常常混亂紛雜,不容易思想或表達;鬼附者除了發作的時候,一天絕大多數時間都是思想脈絡清晰的。
- 精神病患者通常會熱烈地表達自己的思想,而鬼附者常會遲疑,並且只在催促下才會說出來。
- 精神病患者通常會過分渲染他所堅稱住在他裏面的鬼魔,而鬼附者則會盡量避免談及附於身體內的鬼魔。
- 精神病患者通常不反對基督教的輔導,鬼附者則對任何與基督有關的事情都會激烈地反對。
- 精神病患者並不介意說耶穌基督的名字,真正的鬼附者卻會激烈抗拒如此行。

驅魔儀式

自從西元398年第四次迦太基大公會議決議,一部名為《古教會法集》(Statuta Ecclesiae Antiqua)的典籍合集後,基督教會陸陸續續確認了幾種基本的驅魔儀式(註5):

一、受膏。就是用摻了香精、擺,水融化的黃油,將它塗抹在人的額頭上。這樣的儀式在多個宗教中被採用,人的受膏代表其引入了神聖的能力、靈或神。三世紀的尤西比烏斯與聖奧古斯丁在為年輕人驅魔時,都曾使用過受膏的方式。

加俾額爾・阿摩特也表示,若是懷著信心使用驅魔聖油,有助於驅散魔鬼的力量、魔鬼的攻擊,以及魔鬼招來的鬼魂。聖油還有一個獨特之處,能將不潔之物從體內分離出來,一些因為吃了或喝了被詛咒的東西而中邪的人,非常明顯的特徵就是胃痛。這種情況下必須將所有的邪惡物質排出體外,驅魔聖油非常有助於將這些不潔之物從體內排

除。

二、放鹽。透過張聖鹽撒在疑似魔物附身的地方，將能有效驅除。如果被附身的對象是人的話，就在他唇邊抹上鹽巴。

阿摩特表示，聖鹽的特別功效是保護一個地方，使其免於魔鬼的出沒或侵擾，當一個地方有遭受魔鬼侵擾的疑慮時，他通常會建議將驅魔的鹽撒在門檻上，以及被魔鬼騷擾的房間的四個角落。

三、十字架。歐洲人普遍認為佩戴基督教的標誌（大部份是十字架）可避免鬼物上身。已經被附身的人，可用十字架靠近他，放在他的頭上，或是使他緊緊抓住皆可。

四、聖詩。有驅魔的功效。最有名的是《Litany of the saints》，在拉丁教會的儀式上，透過同樣的三音調重複吟唱所有聖人的名字。

五，通關密語。最後聖本篤的一句簡單咒語則是最有效的：Vade retro satana!（惡靈退散）

六、阿摩特說，聖水除了能治愈疾病，將人從魔鬼的權勢下釋放出來，也會強化天主的恩典。

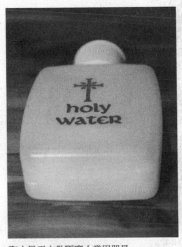

聖水是天主教驅魔人常用器具。
Image by Amber_Avalona from pixabay

註1

關於Amy Stamatis的事跡，可參見美國廣播公司（ABC）的分支機構KATV的報道：'I could see the demons': An exorcism in Arkansas, by Paige CushmanWednesday, October 30th, 2019

註2

https://katv.com/news/local/i-could-see-the-demons-an-exorcism-in-arkansas

註3

關於Richard Gallagher的事跡，本文主要引述於《華盛頓郵報》（The Washington Post)網站刊載，由他本人撰寫的文章。https://www.washingtonpost.com/posteverything/wp/2016/07/01/as-a-psychiatrist-i-diagnose-mental-illness-and-sometimes-demonic-possession/

註4

萊胥勒（A.Lechler），「鬼附？精神病？」，載於高科爾，《邪術的捆綁與釋放》。轉引自《魔惑眾生——魔鬼學探究》，楊牧谷著，卓越書樓，1995。

註5

關於基督宗教驅魔儀式，本文主要參考楊牧谷著的《魔惑眾生——魔鬼學探究》，以及加俾額爾·阿摩特的《驅魔師：梵蒂岡首席驅魔師的真實自述》。

撒旦崇拜者與黑彌撒

談到魔，我們不得不提到撒旦；而提到撒旦，自然也要談到牠的信徒。這裏筆者不輕率地以「撒旦教徒」來稱呼這些信仰撒旦的人，皆因「撒旦教」一詞歧義甚大，可分為狹義和廣義的撒旦教，甚至以信仰精神而言，還可細分撒旦主義（Satanism）和路西法主義（Luciferianism），解釋起來非常麻煩。

何謂「撒旦教」？

過去，有些人一聽到撒旦教便聯想起罪惡、血腥和「活人祭」，這固然是一種偏見；但另一個極端，以為「撒旦教會」（Church of Satan）和「撒

撒旦信奉者的光譜甚為廣闊
Image by Erik Mclean from Pexels

旦聖殿」（The Satanic Temple）可代表所有撒旦教，這肯定也是誤解。由於該二教均不主張傷害他人，教義還挺人模人樣的，以至有些文青、讀書人急不及待地為「全部」撒旦教申冤：我們錯怪好人啦，其實撒旦教徒只是一群思想比耶教徒「進步」的人而已，從來沒有傷人和血祭嘛⋯⋯

嚴格來說，撒旦教可分為廣義與狹義兩種。狹義的撒旦教，專指奉撒旦之名的有組織特定教派，除了前述的「撒旦教會」和「撒旦聖殿」，較知名的還有「撒旦第一教堂」（The First Church of Satan，FcoS）、「黑玫瑰之子」（The Children of the Black Rose）、「九角秩序」（Order of the Nine Angles）、「路西法大教會」（the Greater Church of Lucifer，GCOL）等等。至於廣義的撒旦教，泛指所有信仰撒旦（甚至根本不信有神靈或魔鬼的「無神論撒旦教」）的大大小小組織。1994年，意大利社會學家Massimo Introvigne建議把同時符合以下三項條件的教派定義為撒旦教：1）崇拜聖經中以撒旦或路西法命名的人物；2）由有組織團體組成，至少具最小規模和等級；3）通過儀式或禮儀實踐教義。

也有根本不隸屬廣義撒旦教派，但以信奉撒旦主義（Satanism）或路西法主義（Luciferianism）自居的人。這又是甚麼鬼東西呢？簡單來說，撒旦主義者主要關注肉體與物質，擁護和提倡快樂、成功和性慾；路西法主義者更多著重靈魂提升，自稱為路西法人（Luciferians），相信路西法是一個精神和開明的存在者，超越物質性，觀念上受諾斯底主義影響，他們往往否認自己是撒旦教門徒，甚至不相信路西法就是撒旦。

再討論甚麼才算撒旦教，不必魔鬼勾魂，恐怕大家也會悶死。據說，世上至少有一、兩百個撒旦教派，就算是箇中專家恐怕難以逐一辨別其差異，我們只能從幾個知名派別中，概括地了解廣義的撒旦教是什麼一回事。但

在概述之前，有一個問題值得一問：究竟撒旦信仰對普羅大眾有實質影響嗎？須知道，「撒旦」是「上帝」的對立面，對一名非耶教徒而言，連「神」也不相信的話，有需要關心「魔」的種種嗎？

答案，也許從一宗新聞可見端倪。2020年美國總統大選，雙方陣營互相攻訐之激烈，相信不用在此多花筆墨解說，讀者仍記憶猶新。其中，一個名為「匿名者Q」（QAnon）的組織指控，有一群民主黨菁英、政客、權貴、娛樂圈以及媒體高層，他們掌控著國家真正實權，而且這群人盡是「崇拜撒旦的戀童癖」，還經營著各種性剝削產業，行徑令人髮指。過去，這等傳聞一直只是陰謀論界的話題，隨著一場選戰，美國掌權者會否為撒旦信徒，已成為公眾的茶餘飯後議題。

回顧歷史，撒旦崇拜可追溯至中世紀。當時天主教會的宗教裁判所聲稱，各種異端基督教教派和團體，例如聖殿騎士團，一直秘密舉行撒旦儀式。

17世紀，法王路易十四的情婦蒙泰斯達（Madame de Montespan）召來拜撒旦者法桑（La Voisin）為她施法，目的是攫取路易十四的歡心。她一直暗中給路易十四下春藥，其中成份包括西班牙蒼蠅和乾的公雞睾丸粉。但這樣還不夠，她要法桑進行的事情，更為駭人聽聞。

法桑為當時上流社會的人舉行黑彌撒，據說，他的法力能致人於死地，又能讓人動情，甚至使人墮胎。1673年，法桑為蒙泰斯達舉行了一次黑彌撒。祭壇上放置一個赤裸的女人，向邪魔阿斯摩代（Asmodeus）和亞斯他錄（Ashtaroth）禱告後，他們把女人淫辱，最後殺害孩童與女人，取他們的血，加在酒裡混入路易十四的食物之中。1679年，蒙泰斯達和同黨意圖利用黑彌撒來謀殺路易十四，不過事敗。路易十四把蒙泰斯達送到一所

修道院軟禁。法桑被捕時，官方從他的花園掘出約2000個嬰孩的骨灰罐，估計是黑彌撒進行時的犧牲者。據證人說，法桑所舉行的好些黑彌撒，乃應蒙泰斯達要求而施行的。

19世紀，法國神父布侖（Abde Boullan）與她的情婦——修女舒發尼亞（Adele Chevalier）共同成立「糾正靈魂協會」（Society for the Reparation of Souls）。該協會聲稱為鬼上身的修女驅魔，方法之一是讓她們服用一種仿傚聖餐的物體，而那卻是人之排泄物所造的。1860年他們舉行黑彌撒，竟把子女在祭壇上殺掉獻給撒旦。

「蛇紋石撒旦崇拜者」（Ophite Cultus Sathanas）

但近代撒旦教的起源，普遍相信始於20世紀。1969年，總部位於美國俄亥俄州托萊多（Toledo）的一個撒旦團體引起了公眾的關注。它名為恩多‧科芬聖母（Our Lady of Endor Coven, OLEC），由赫伯特‧斯隆（Herbert Sloane）創辦及領導，他與信徒自稱為「蛇紋石撒旦崇拜者」（Ophite Cultus Sathanas）。他們崇尚諾斯底主義，相信這個世界中，創造者上帝是邪惡的，《聖經》的蛇才是伊甸園中拯救人類的善良力量。赫伯特聲稱於1948年創教，或許是近代最早出現的「撒旦教」。但此說法尚未得到證實，有人認為赫伯特故意虛報日子，為的是使自己的團體比安東‧拉維於1966年成立的撒旦教會（Sant of Satan）更為古老。

撒旦教會（Church of Satan）

撒旦教會也許是近代最著名的「撒旦教」，安東‧拉維（Anton LaVey）也被譽為「撒旦教之父」，除了創門立派，還歸功他於1969年出版《撒旦聖經》。撒旦教會的教義與外間所想像有頗大落差，他們反對基於罪惡感而衍生的節制、無條件的愛、和平主義、平等、從眾心態和替人做代罪羔

羊，主張信徒放縱、愛自己，尊重個人欲望，主宰自己的靈魂與生命。

拉維認為，撒旦主義者該是個人主義和不服從主義者，拒絕主流社會強加於人的道德枷鎖。他認為自我放縱是一種理想的特質，仇恨和侵略並非錯誤或不良的情緒，而是利於生存且必需的。不過，拉維禁止信徒作違法行為，以至當有人提起撒旦教的活人祭時，總會有些「有識之士」試圖以正視聽糾正外界偏見，強調撒旦教徒只是一群價值觀有異於常人的「自我宗教」，但其實這是混淆了狹義的「撒旦教會」（Church of Satan）與廣義的撒旦教之故。即使「撒旦教會」信徒不涉及有違道德的宗教儀式（假設拉維之言屬實，並非只為逃避法律制裁），也不代表其他撒旦教沒此惡行。

「撒旦教之父」安東・拉維

「九角的秩序」（Order of the Nine Angles）

例如「九角的秩序」（Order of the Nine Angles，簡稱ONA或O9A），便屬於惡名昭著的邪教。它聲稱成立於1960年代，並於1980年代初進入公眾視線，因其新納粹意識形態和激進行動而受到關注。

根據他們自己的說法，該教乃由一名婦女所建立，那女人曾參與一基督教秘密宗派，並於1960年代後期在英國威爾斯遊行中成立ONA。1973年，一個名叫「安東・朗」的人被邀請入教，隨後成為該教的「大師」。有說法指，「安東・朗」可能是英國新納粹激進主義者David Myatt的化名，然而Myatt予以否認。從1970年代後期開始，朗撰寫一系列書籍和文章，

大膽地傳播教派思想，藉此與世界各地的其他新納粹撒旦主義組織建立聯繫。2000年起，他們開始透過互聯網來擴展事業。

ONA主張，人類歷史可以分為一系列的「永世」（Aeon，或譯移涌），每個永世都包含相應的人類文明，而當前的「永世」屬於西方世界文明，但現今社會發展受到猶太教—基督宗教的拿撒勒人威脅，該教旨在與之抗爭。而要達此目的，必須訂立軍國主義的新社會秩序，亦即建立「帝國」，這是形成銀河文明的必要條件。如此一來，「雅利安」社會將在銀河系中殖民。ONA擁抱政治極端主義，甚至主催犯罪和暴力行為，目的是打破社會禁忌。教派成員還會學習魔法，旨在協助他們實現建立「帝國」的目標。

ONA不設中央部門，取而代之由多方合作夥伴組成網絡（稱為kollective）式運作，這些人主要是受到安東・朗和一些核心成員（Inner ONA）的文宣影響，他們是組織的「細胞」（nexions）。受ONA影響的極右翼分子進行各種犯罪行為，包括強姦、殺人和恐怖活動。例如據英國廣播公司（BBC News）報導，英國當局對ONA涉及的戀童癖者個案數字表示關注。不少英國政界人士、反法西斯組織和媒體都呼籲將ONA列為恐怖組織。

2019年2月，極端組織「原子武器師」（Atomwaffen Division）的成員Benjamin Bogard在製造炸彈的過程中被聯邦調查局（FBI）逮捕。FBI發現他的手機藏有年輕女孩被強姦的視頻，他被判犯下兒童色情罪。「原子武器師」成員的必讀清單中，包含ONA或O9A的撒旦主義書刊。另一個被英國查禁的恐怖組織Sonnenkrieg Division同樣受到ONA影響。2020年7月，一名O9A成員Jacek Tchorzewski因恐怖主義活動被英

國Harrow Crown Court定罪，他被搜出藏有500多張照片和錄像，裡面紀錄了六歲兒童被強姦的影像。共同被告Michal Szewczuk開辦了一個博客，宣揚對包括小孩子在內的對象施以酷刑及強姦，他同樣被判處四年徒刑。2020年3月，著名O9A成員、原子武器師前領袖John Cameron Denton被控分發性虐待未成年少女的兒童色情內容，此外還牽涉134宗死亡和炸彈威脅。

這些只是「九角的秩序」及相關極端組織惡行的冰山一角。譬如遠至俄羅斯，該國聯邦安全局於2020年8月逮捕了一群撒旦主義者，他們涉嫌「進行公開呼籲進行極端主義活動」，其中還有成員誘使兒童賣淫。他們均屬於一個名為Legion Ave Satan的組織，乃O9A的伙伴團體。

究竟這群撒旦崇拜者，當真是受惡魔蠱惑，才幹下如此魔鬼行為；抑或有些人本身就是魔鬼的化身，一種與生俱來的惡之種子，早已埋在身體與靈魂深處？

「黑玫瑰之子」（The Children of the Black Rose）

大大小小的撒旦教可謂數之不盡，其中信仰路西法主義的宗派屬於小眾。「黑玫瑰之子」（The Children of the Black Rose）是當中著名卻又相當神秘的一個。從有據可查的資料顯示，他們強調自我增強和進化，最終目標是與路西法共同於星體領域邁進個體的完美，以及實現「個人天堂」。

撒旦第一教堂（First Church of Satan, FCoS）

撒旦第一教堂（First Church of Satan, FCoS）是一個非常懂得說故事的組織。FCoS的領導人和倡導者埃根勳爵（Lord Egan）認為，現代撒旦主義者已陷入「迷失」和「無知」，必須認識到撒旦的恩典才能得以存活。

該教網站每週都舉行佈道會,並發佈自家版本的《撒旦聖經》(有別於安東・拉維版的《撒旦聖經》)。FCoS主張,世上所謂的神靈,例如耶穌、路西法、撒旦、耶和華、拉(Ra)、伊西斯(ISIS)等,都是守護人類進程的存在……他們是人類進化發展的「更進一步階段」。而在經歷多次轉世後,那些合適的人自己也會成為守護進程的更高層次生命。

撒旦派光明會(Illuminati Satanism)

光明會大家聽得多,撒旦派光明會又聽過沒有?要查找撒旦派光明會確實存在的證據並不容易。據說這是由光明會內崇拜撒旦的人所創,他們認為上帝是真實存在的,但視祂為主要敵人。

撒旦派光明會的標記同樣有金字塔及獨眼,獨眼代表的是路西法的眼睛,金字塔的七十二塊則象徵卡巴拉的七十二神祇。相傳他們會以人血祭祀撒旦,許多巨星之死都與撒旦派光明會脫不了關係。

不過論活躍度、論對當代影響的撒旦教派,當數「撒旦聖殿」(The Satanic Temple)。這群教徒可謂國際新聞的常客,他們的事跡我們容後再談。

撒旦恐慌

好了,究竟撒旦教徒所舉行,傳說中的黑彌撒是否存在?

要回答此問題並不容易。歷史上曾有民眾因過度擔憂血祭與黑彌撒,形成一股「撒旦恐慌」,而此事件距今還不算很遙遠。話說在1980至1990年代,有傳聞指撒旦主義團體經常於儀式中虐待和殺害兒童,一種歇斯底里式恐慌在美國和英國蔓延。最誇張的時候,縱使沒有確鑿證據表明某人是

撒旦教徒，甚或未證實他們因黑彌撒而犯罪，不少人卻被指控有罪，可謂中世紀獵巫的翻版。

1980年代，美國和加拿大爆發了一次嚴重的撒旦主義恐慌，隨後蔓延至英國、澳洲和其他國家。這種恐慌始於1980年，結果於1990年至1994年間才緩和下來。引起恐慌的來源之一，乃加拿大心理學家勞倫斯・帕茲德（Lawrence Pazder）於1980年寫的一本書《米雪的回憶》（Michelle Remembers）。米雪是勞倫斯的病人兼妻子，在書中，勞倫斯描述了米雪童年時家人於撒旦儀式中虐待其他家庭成員，甚至殺害嬰兒，而撒旦真的親自現身了！

1983年，有人指控於加利福尼亞州經營一所幼兒園的麥克馬汀（McMartin）一家在撒旦儀式中性虐待兒童。這指控掀起漫長的審判，全國上下陷入兒童性侵恐懼症，恨不得把馬汀一家處死，但由於缺乏證據，控方撤銷那人（除了其中一人）的全部控罪，而最後法庭也並未判任何一人入罪。然而，馬汀一家開設的幼稚園，遭人多次放火攻擊後徹底摧毀。此案引起的效應，導致在美國其他地區也出現類似指控。反撒旦主義者聲稱，兒童不會撒謊，因此所有兒童在撒旦儀式中受虐的指控必然屬實。基督教原旨教主義者和福音派於其中發揮關鍵作用，基督教團體不斷舉行會議並出版書籍和錄像帶來強調撒旦主義的危害。

直至1980年代後期，外界對此類指控越發懷疑，撒旦恐慌逐漸退潮，可是某些人已因參與（或被指參與）「黑彌撒」儀式而定罪。1990年，美國聯邦調查局探員肯・蘭寧（Ken Lanning）透露，他調查了300項關於撒旦儀式性虐的指控，沒有發現確切證據證明任何撒旦主義儀式的活動。在英國，據人類學家珍・拉・馮丹（Jean La Fontaine）的調查，雖

然約一半案件確有涉及兒童性虐待的證據，但沒有證據表明與撒旦團體有關及涉及謀殺案。到了21世紀，歐洲和拉丁美洲地區陸續出現指控撒旦教性虐的個案，但整體而言，西方國家對撒旦教的歇斯底里情緒已經大大減退（註1）。

這是否代表所謂血祭已經洗白？事實未必如此簡單。

打從1984年起，美國洛杉磯發生一連串謀殺和性侵案，受害者男女皆有，年紀從6歲到82歲不等。受害人的所屬社區、種族背景及社會經濟地位也無甚關連，唯一共通點是兇手總在案發現場，如牆壁、地面、鏡子，甚或死者身上，留下代表撒旦的倒五角星標記。兇案現場氣氛詭異，兇手殺人後會打開雪櫃，吃掉裡面的食物，再吐在廚房地上。並在客廳自慰，在牆上留下撒旦標誌。

經深入調查後，探員發現看似不大相干，僅得倒五角星相同的案件，皆由連環殺手Richard Ramirez所犯（媒體還為他起了個「夜行者」稱號）。他多半先偷入民居，槍殺男戶主後再把婦女或孩童性侵，強迫受害人發誓效忠撒旦，繼而將其肢解殘殺。他曾綁架性侵6歲女孩及強姦9歲男童，冷血變態之處震驚美國（註2）。英國小報更繪形繪聲說，消息人士透露，Ramirez病危死前一天，忽在病床坐起，於床邊來回移動，更嚇人的是皮膚泛透出恐怖的螢光綠色！這與他崇拜撒旦有關嗎？

究竟這崇拜撒旦的連環殺手是否孤證？如果結合「九角的秩序」一伙人備受多國政府警惕的惡行，我們很難說邪門的黑彌撒絕不存在。要分辨一宗兇案是單純的謀殺案，抑或涉及撒旦教，專家指出須透過犯罪現場分析，評估撒旦教的元素和特徵。撒旦儀式中使用的裝置包括服裝、祭壇、

蠟燭、鈴鐺、聖杯、劍和鑼。撒旦信徒有自己的彌撒和儀式，例如野獸之夜，逾越節和五月天。與撒旦教派有關的犯罪，兇徒可能在社區中居住了一段時間，通常是有才智的資深教派成員所為。另一種情況，兇徒是自封的獨行惡魔崇拜者，他們可能是一個受過良好教育，但社經地位低下的年輕人。這類邪教徒對社會甚具威脅，因為受害者幾乎完全是陌生人。（註3）自欺欺人地認定他們絕不存在，勢將失去預警之準備。

黑彌撒儀式

黑彌撒（Black Mass）的儀式具體為何，人言人殊，普遍相信不同教派的儀軌有所差異。彌撒（Missa）是天主教神聖而重要的宗教儀式，教會舉行彌撒，目的是向天主祈禱、感恩和贖罪。「黑彌撒」顧名思義即反基督彌撒的行為。黑彌撒儀式充滿象徵符號，像倒十字架、山羊、倒五芒星、角手、666等，一個兇案現場倘出現上述符號，雖不能斷定曾進行黑彌撒，也起碼透露出兇徒有崇拜撒旦的傾向。

倒十字架（the Inverted cross）：倒十字架公認是明顯的反基督的象徵，尤其是反天主教，特別強調反上帝的救贖。這符號源自天主教傳說——聖伯多祿（Saint Peter）被倒掛於十字架上釘死，因為他自覺不配和耶穌以同樣的方式釘死，故此倒十字架又稱「the Petrine Cross」。有些天主教使用「倒十字架」來代表謙遜和「不配與耶穌相比」。後來這符號卻演變為反對基督教條，成為撒旦教常見符號。

山羊：山羊及倒五芒星是常見的撒旦象徵標誌。近代最為人所知，與山羊有關的惡魔是巴弗滅（Baphomet），牠一般以雄山羊頭及人類下半身的形象示人，久而久之山羊也變為魔鬼之代表。山羊與倒五角星合體，首見於法國煉金術士Stanislas de Guaita於1897年所著的《 La Clef de la

Magie Noire》書中，名為曼德斯的山羊（Goat of Mendez，別名安息日的山羊）。1969年，撒旦教之父安東・拉維簡化了曼德斯的山羊印記，採用巴弗滅印記（Sigil of Baphomet）為撒旦教會的官方徽章。

倒五芒星：倒懸的五芒星（Downward-Pointing Pentagram）原是「五角之神」的象徵，代表四種有角生物（雄山羊、雄綿羊、雄牛、雄鹿）與人類。把五芒星倒過來，亦即把人的精神指向下（地獄），由此變成惡魔符號。

666：《聖經》裡表明「獸」的數目為666。「他又叫眾人，無論大小貧富，自主的為奴的，都在右手上，或是在額上，受一個印記。除了那受印記，有了獸名，或有獸名數目的，都不得作買賣。…他的數目是六百六十六。」（啟示錄13:16-18）獸是撒旦的隱喻，在西方社會中666早已是人盡皆知的魔鬼數字。

角手
Image by Olaf Jouaux from Pixabay

角手：角手是一種把食指和尾指豎起，把其餘三指屈曲而成羊角的手勢，稱為「Horned Hands」，撒旦教徒會稱之為「Satanic Salute」，用來向撒旦敬禮。

從有限的資料看，黑彌撒進行之時，會依循倒五芒星的五個方位，呼喚五個神靈／邪靈／惡魔，但五個惡魔誰屬卻不統一，例如「黑玫瑰之

子」會呼喚撒旦、路西法、阿多尼斯（Adonis，希臘神話中掌管每年植物死而復生的神）、彼列（Belial，所羅門七十二柱魔神之一）、利維坦（Leviathan，《希伯來經卷》中的一種怪物））。但另一些撒旦教派，卻可能呼喚莉莉絲、普羅米修斯、路西法、伊絲塔（Ishtar，蘇美爾人信奉的女神）、潘（Pan，是希臘神話裏的牧神）。

相傳撒旦信徒會在黑彌撒中做許多詭異行為，如要用精液和經血塗滿雙手、喝下女性經血、用聖水淹死動物、集眾行淫、強迫進行同性性行為等等。這些傳聞也許缺乏確鑿證據，但從不少新聞報道及已披露的圖片來看，黑彌撒當中包含裸女祭祀儀式，卻幾乎可以肯定。

註1
有關撒旦恐慌的歷史，可參見宗教社會學家Massimo Introvigne的著作。
Satanism: A Social History. Massimo Introvigne. Boston: Brill, 2016.

註2
有關Richard Ramirez的犯案與偵緝過程，Netflix紀錄片影集《夜行者：極惡連環殺手》
（Night Stalker: The Hunt for a Serial Killer）中有細述。

註3
＜對撒旦和與邪教相關的謀殺進行剖析＞（摘自《對暴力犯罪進行剖析：調查工具》，
第80-98頁，1989年，羅納德‧M‧霍爾姆斯（Ronald M Holmes）

無神論教派「撒旦聖殿」對美國社會的影響

「萬福撒旦！」（Hail Satan）一群人身披黑斗篷，頭戴山羊惡魔角，在阿肯色州與佛羅里達州政府機構前高舉橫額和黑色美國旗，高呼口號。他們的目的，是試圖在阿肯色州議會大廈外豎立名為巴弗滅（Baphomet）的惡魔銅像。

為何如此？不妨從一齣Netflix上映的奇幻劇集《莎賓娜的驚慄奇遇》（Chilling Adventures of Sabrina）談起。這片集講述半人半魔女的主角，怎樣努力調和水火不容的身份，同時對抗一股危害家人和人類世界的邪惡力量。由於劇中出現了巴弗滅的雕像，片商Netflix及華納兄弟遭宗教團體「撒旦聖殿」（The Satanic Temple） 控告，指控他們盜用了他們的Baphomet形像，又稱劇中影射其教徒為邪惡反派角色，涉及謀殺與虐待，涉嫌誹謗，要求索償5000萬美元。當時另一知名撒旦教組織「撒旦教堂」則澄清官司與他們無關。及後「撒旦聖殿」透露雙方已達成和解，細節並未向外披露。

令人疑惑的是，巴弗滅並非撒旦聖殿原創的「神／魔」，早在13世紀聖殿騎士被滅團

巴弗滅雕像
Image by Michael Aigner from Pixabay

時，罪狀之一就是信仰「Baphomet或Mahamet」。那麼，撒旦聖殿憑什麼指控該劇侵犯版權？這關乎該教一個充滿爭議的雕像……

事緣2012年11月，奧克拉荷馬州議會大廈外豎立了一座6英尺高的十誡石碑，該石碑由共和黨人資助及捐贈。撒旦聖殿質疑十誡石碑的合憲性，對州議會提出訴訟，援引「宗教自由、言論自由」的美國憲法第一修正案，要求州議會實踐宗教多元化，允許他們在同一地方豎立一座羊頭人身的巴弗滅（Baphomet）惡魔銅像，否則州議會便違反了美國憲法第一修正案所述，「不得獨厚特定宗教、設立國教或妨礙宗教自由」的條文。

撒旦聖殿發言人盧西安·格雷夫斯（Lucien　Greaves）表示，他們爭取巴滅弗雕像的展示空間，目的是恢復宗教平衡，同時宣揚支持社會正義和人權的教義。

2014年1月，撒旦聖殿募集了兩萬多美元來建造銅像，同年5月雕像完成。撒旦聖殿高級祭司、死亡金屬樂團VITAL REMAINS主唱Brian Werner表示：「這個國家並非所有人都是基督徒。還有佛教徒、穆斯林、無神論者……如果（巴弗滅雕像）立起來，我們就贏了。如果沒立起來，十誡石碑就得放倒，我們也贏了。」

及後，「撒旦聖殿」約150名信徒舉行抗議活動，並在議會大樓前擅自安放一座約2.4公尺（8英尺）高的惡魔銅像。2014 年 10 月 24 日，有人駕車將十誡石碑撞毀。

2015年6月，奧克拉荷馬州最高法院裁定十誡石碑「顯然屬宗教性質，並

且是猶太人和基督教信仰的組成部分」，判決十誠石碑及巴弗滅雕像都必須移除，不准樹立在議會大樓場地，撒旦聖殿表示同意。

銅像所刻的惡魔名為「巴弗滅」（Baphomet），有着山羊的頭和人類的身體。2015年7月底，撒旦聖殿將雕像移至密西根州底特律城（Detroit）的一棟工業建築內。

那雕像擁有人的身軀、山羊的頭，背後長著翅膀，身旁站著一對微笑的男孩和女孩，神情完全不畏懼眼前的怪物。巴弗滅頭上羊角之間的火炬是智慧之角，代表撒旦聖殿的中心信念：「智慧的火焰在兩角之間燃燒著，是宇宙平衡的神奇光源，靈魂昇華的象徵，在萬物之上照耀。」

雕像前石碑記載撒旦聖殿信條：「憐憫、智慧、正義的精神永遠勝過書寫或說話。」（The spirit of compassion, wisdom, and justice should always prevail over the written or spoken word.）。

2018年中，阿肯色州議會通過一項法案，授權在議會大廈外面樹立十誠石碑。無神論者與撒旦主義者大肆抗議，認為其它宗教也有權利樹立雕像。撒旦聖殿舉行集會，計劃在那裏安置巴弗滅雕像。立法機關進行緊急會議，通過起用法定條款，阻止安裝巴弗滅雕像，並要求立法贊助十誠紀念碑。有議員稱「在阿肯色州議會大廈的地面上永久性豎立具冒犯性的雕像，這將是一個非常寒冷的地獄之夜......」

阿肯色州參議員Jason Rapert發表聲明，稱撒旦主義者「明顯是從各地趕來，旨在褻瀆並宣揚極端非正統觀點的外人」，並認為他們有權發表言論，但樹立十誠石碑是選民的意願，因為十誠是「法律的歷史和道德基

礎」。

自2012年撒旦聖殿成立以來，成員倍增至成千上萬，其總部位於美國馬薩諸塞州（Massachusetts）塞勒姆（Salem），分支機構遍及美國和全球各地，從斯德哥爾摩到倫敦，從洛杉磯到德克薩斯。宗教研究教授R・安德魯・切斯納特（R. Andrew Chesnut）認為，撒旦聖殿實際上是無神論者，僅僅把撒旦視為一個隱喻，他們似乎缺乏有系統的儀式和崇拜，主要成員甚至根本不崇拜撒旦，純粹是反對聖經教義。

撒旦聖殿發言人盧西安・格雷夫斯
Image by Mark Schierbecker, CC BY-SA 4.0, via Wikimedia Commons

儘管他們有舉行黑彌撒，過程中也確實呼喚撒旦，但成員亦坦承他們當中
沒有一個人真正相信撒旦是靈性實體。本質上，他們是一群質疑權威的社
會行動派，崇尚獨立思考能力，主張理性和政教分離，認為世上的怪力亂
神都由人所創，因此沒必要崇拜，世人卻被單一視角的教會教條所侷限，
譬如天主教的「七宗罪」，其實並非原罪，而是人性所在。他們強調「逆
十字」的衝擊，能讓人打破固有框架，重新思考同性婚姻、複製人等議
題，「這是撒旦給我們的共鳴。」

創辦人之謎

根據撒旦聖殿的公開資料，該組織由盧西安‧格雷夫斯（Lucien
Greaves）和馬爾科姆‧賈里（Malcolm Jarry）共同創立。基於各種原因
（他們收過死亡威脅），二人皆隱瞞真實身份，以化名進行公開活動，
因此較難考查他們的背景經歷。他們的真身誰屬頗受爭議，格雷夫斯被
公認為道格‧梅斯納（Doug Mesner），一名社會活動家；而據報道，賈
里或是紀錄片導演賽文‧索林（Cevin Soling）。

其實，撒旦聖殿可能由另一人創立，他叫Neil Bricke，最初撒旦聖殿
的Facebook專頁便是他成立的。不過自2013年撒旦聖殿宣佈，Bricke將
會在一次集會上發言支持佛羅里達州州長里克‧林恩‧史葛（Rick Lynn
Scott）（這州長允許基督徒在校內祈禱，撒旦聖殿希望轉化為容許學
童平等地接觸撒旦信仰），及後他卻從未公開露面，幾乎像不存在的人
般。

格雷夫斯是撒旦聖殿的主要公開發言人。格雷夫斯個人歷史已披露的甚
少，據信他在底特律長大，曾就讀於哈佛大學，修讀認知科學。他曾在美
國各地大學演講，話題圍繞撒旦崇拜、世俗主義和撒旦聖殿，也在由美國

無神論者協會、美國人道主義者協會和世俗學生聯盟主持的全國性會議上擔任演講者。

撒旦聖殿最初透過互聯網營運，並沒有舉行定期活動的實際地點。2016年，格雷夫斯宣佈收購位於馬薩諸塞州塞勒姆的一座大樓，並將它捐贈給撒旦聖殿作為國際總部。兩年後，這座曾是殯儀館的大樓翻新後重新開放，內裡設有小型博物館，展出撒旦、巫術和道德恐慌的歷史。格雷夫斯承認安東・拉維的《撒旦聖經》，但著意把撒旦聖殿與撒旦教會區分。同樣，其他撒旦教派亦拒絕與撒旦聖殿相提並論，甚至大肆批評：「你到底如何自稱是撒旦主義者，同時又聲稱自己是無神論者？如果你相信撒旦，撒旦就是一個超自然的存在。如果不相信任何宗教，為什麼要自稱為宗教？」

由於一些內部糾紛，撒旦聖殿出現好些獨立的「分支」，這些團體包括波特蘭的Satanic Portland、倫敦的Satanic Temple International、洛杉磯的HelLA，達拉斯的Crossroads Assembly、紐約的Rebel Eve (LORE)聯盟等。新的「聖殿」陸續成立，整體成員數量有增無減，其政治上的影響力累積日深。

對基督宗教及社會之抗爭

撒旦聖殿曾經幹下什麼「離經叛道」的出格社會行動？其中一項備受保守人士擔憂的，是「聖殿」中人非常關注學童的成長，是以他們念念不忘把「魔掌」伸到校園……

課後輔導

其中一項便是課後輔導。撒旦聖殿認為，鑑於基督教福音團體一直透過課

後輔導活動滲透小學生生活，他們也要求在公立小學開辦課後輔導，讓學童有選擇撒旦的自由。他們設立網站Afterschoolsatan.com，不斷遊說公立小學接受「課後撒旦學會」招生。

魔鬼獎學金

聯合創辦人賈里宣佈，為了幫助高中畢業生升學，會提供兩個名額，資助各500美元獎學金，申請條件是回答以下任一問題：一、說出「人生中曾做過符合撒旦聖殿宗旨和使命的事情」；二、詳述「任何一個曾糟蹋你靈魂並破壞你自信心，讓你在上學的每一分鐘都感到討厭的老師」。

教材之爭

2014年，撒旦聖殿進入佛羅里達州橘郡學校，被允許發放塗色繪本《撒旦孩子的多彩生活》。該教又請求奧蘭治縣學校董事會在公立學校分發撒旦文學，以回應基督教傳佈《聖經》及相關出版物。在密歇根州底特律市，撒旦聖殿亦力圖阻止公立學校分發宗教材料。

粉紅彌撒

2013年7月，撒旦聖殿成員在密西西比州Meridian的墳場舉行了一場「粉紅彌撒」，他們揚言這是「反示威活動」。

事緣2013年美國發生波士頓馬拉松爆炸案，當時以反同性戀聞名的威斯特布路浸信會（Westboro Baptist Church），在慘劇發生後聲稱是「神以爆炸懲罰美國人，因為美國人接受同性婚姻」、「感謝上帝讓波士頓馬拉松爆炸發生，讚美全能的上帝降下祂的正義和憤怒」，該教會還計劃到爆炸死難者的葬禮會場外示威，抗議同性婚姻。

於是，撒旦聖殿在威斯特布路浸信會掌舵人Fred Phelps的母親墓前舉行粉紅彌撒，以回應威斯特布路浸信會的所作所為。儀式期間，格雷夫斯戴上羊角頭飾，三對夫婦、兩個男性和一個女性，在閱讀《聖經》經文時在墓碑上發生性關係。

七大信條

撒旦聖殿把撒旦比喻為「永恆的反叛者」，作為抵制壓迫權威和社會規範的象徵。該組織列出七個基本信條：

1) 世人應該努力按照理性，對所有生物表現出同情心和同理心。

2) 爭取正義的奮鬥，是持續和必要的追求，應該優先於法律和制度。

3) 一個人的身體是不可侵犯的，只受該人自己的意志控制。

4) 應尊重他人的自由，包括冒犯的自由。故意和不公正地侵犯他人的自由就是放棄自己的自由。

5) 信仰應符合我們對世界的最佳科學理解。我們應該注意不要歪曲科學事實來適應信仰。

6) 人容易犯錯。如果我們犯了錯誤，我們應該盡力糾正並解決可能造成的任何傷害。

7) 任何宗旨都是設計來啟發高尚行為、思想的指導原則。慈悲，智慧和正義的精神應該永遠優先於書面或口頭話語。

小結

撒旦聖殿予人政治組織的印象，多於一個宗教或所謂邪教，冠以「撒旦」之名純屬一種包裝與噱頭。真的單純如此？撒旦，對格雷夫斯本人而言，並非純粹掛羊頭賣狗肉，他本身對研究巫術和各種形式的撒旦主義極感興趣，正如他自述，「我實際上有很長的研究巫術和撒旦主義的背景」。

慣於膜拜權威的東方人而言，大抵難以想像世上有如此性質的一個「宗教」。一方面，撒旦聖殿更像是一群無神論者借撒旦之名來搞社會運動的反權威組織；另一方面，對保守的教會而言，撒旦聖殿刻意與傳統基督宗教對著幹，說它是「敵基督」也不為過。儘管它揚言崇尚科學，甚至好些成員根本不信撒旦真實存在，但其創辦人之一明顯是「撒旦狂迷」。他們打著撒旦旗號行事，但對其他撒旦教派來說，這夥人也未免太不放魔鬼在眼內，沒資格自稱「魔鬼代言人」。他們擅用法律手段去抗爭，但其行逕與教條也顯示他們不怎麼重視法律。可以說，這群遊走於黑與白的魔鬼信徒，若然其勢力日益增長，「魔掌」伸至世界各國，肯定對宗教界以至其他領域帶來一番挑戰。

佛道的天魔

惡魔，不是耶教專利，各宗教信仰皆有惡魔，只是稱呼上有所分別。佛教的魔，名目繁多，數起來非三言兩語能說清楚，不嚇壞人也煩死人。

魔的梵語是「魔羅」（mara），意思是這種「惡魔」會奪取人命，為人製造障礙、增添煩亂，並破壞善根。古經多把mara譯作「磨」，皆因中華古時並無魔字，後來南北朝梁武帝把磨字下面的「石」換成「鬼」，發明了「魔」字（註1），主要是為了表述佛經裡魔的概念。

騎在大象上的魔羅（東埔寨吳哥工朝時期，Public Domain）

單從分類看，佛教便有三魔、四魔、十魔之說。三魔是善知識魔、三昧魔、菩提心魔；四魔是煩惱魔、五蘊魔、死魔和天魔；十魔呢，則是蘊魔、煩惱魔、業魔、心魔、死魔、天魔、善根魔、三昧魔、善知識魔和菩提法智魔。概括而言，佛教的魔分為內魔與外魔，內魔指自身產生的修行障礙，外魔則是自身外的障礙。簡單來講，內魔接近俗稱的「心魔」，外魔便是一般人所理解的惡魔。佛教認為，只有天魔屬於外魔（註2）。

天魔是誰，有幾種說法。我們得先了解一下佛教的宇宙觀，佛教世界裡，分為三界六道，三界是眾生生命境界的三個層級，由下而上，分為欲界、色界、無色界，每界別又分為若干個「天」，共計二十八天。其中欲界天的最高一層，名為「他化自在天」，他化自在天之主名為「波旬」（註3），亦即天魔（註4），又有第六天魔王之稱。另一種說法指，天魔是色界天最高一層大自在天的首領「摩醯首羅天」。有趣的是，波旬與摩醯首羅天之所以要為魔，皆因懼怕世間修行人斷絕欲念，會離開了祂們的管轄範圍，所以要出手阻撓。（註5）相傳佛陀修行時，便受過天魔的干擾。不過，天魔搞局似乎也未必為「惡」，祂可能是為了教化眾生（註6）。換言之，佛教的天魔，格局很高，普通人嘛想見一面也難。

不過這僅指狹義的天魔。廣義的天魔，包括波旬和摩醯首羅天麾下的一眾魔子魔徒魔孫，牠們為魔王使者，以成就魔王的事業。此所以佛教故事中不乏這類小打小鬧的小魔事跡。

醜魔干擾目犍連

某天晚上，佛陀大弟子目犍連正在打坐，醜魔化成影子跑進了他的肚裡。目犍連察覺異樣，進入禪定中觀察原由，得悉了醜魔的前世，便勸醜魔出來，以免因干擾出家人修行，將來墮入地獄受果報。

醜魔知道自己被人發現，化成影子鑽了出來。目犍連便對牠說起彼此的前世因緣。原來目犍連過去世也曾是魔，那是拘僂秦佛時代，目犍連其時名為「瞑恨」。瞑恨的姐姐有個叫「黯黑」的兒子，二人經常一起遊玩。

一天，他們在山上樹林見到有出家人打坐。瞑恨心生好奇，更發願希望轉世為人時，亦要出家修行。黯黑聽見卻忍不住開玩笑說，若然瞑恨出家修道，自己就變成魔鬼去干擾他。原來，那隻醜魔便是黯黑，所以此生就喜歡鑽進別人肚子裡開玩笑。

目犍連尊者說，自己已證得羅漢果位，免卻輪迴生死，勸勉醜魔莫再造惡業，還看在彼此有宿世因緣，邀醜魔化成人形，隨他出家。醜魔聽了目犍連的話後，當下悔悟，便隨他修行佛法去了。

魔擾文殊

大乘佛教中，文殊菩薩在眾多菩薩中智慧第一，他手持斬斷煩惱的慧劍，坐騎是代表智慧的獅子，留下許多度化眾生的故事。

殺人如麻的惡魔對文殊非常不服氣，決定要比個高下。在一次供僧大會裡，文殊菩薩準備了齋飯供養外地僧人。惡魔想出一計，化出四萬個比丘，人人衣衫破爛、面目醜陋，有的還瘸拐，他們端著破鉢走進寺廟，準備取用文殊準備的齋飯，惡魔本身也變成當中一員混在裡面。

路人和四萬比丘擦身而過時，紛紛掩住口鼻，臉上露出厭惡神色。文殊菩薩卻沒有分別心，為每位比丘的鉢中添滿齋飯。但不知何解，四萬比丘吃飯時，飯都卡在咽喉，他們倒在地上咳嗽，飯菜卻吞不下也吐不出來。這當然是惡魔的佈局，牠立時說：「可能飯裡有毒，我看你們快要死了！」

其他來化緣的比丘聞言，覺得非常氣憤，跑去找文殊理論。面對眾人質疑，文殊菩薩依舊將飯菜分到其餘比丘鉢中，並解釋：「我心中並沒貪、瞋、痴、慢、疑諸般煩惱，只想學習菩薩的善行供養僧眾。一個心中沒有毒的人，又怎會下毒呢？」

眾比丘覺得言之成理，又想起文殊菩薩日常善行，便低頭不語，明白自己誤會了文殊菩薩。文殊菩薩隨即開示說，心中常懷痴毒的人，自以為威力無邊可變幻形象，到處想與人較量，這就算擁有高強法力，也難逃煩惱纏身。惡魔聽到這一席話，心中慚愧，於是將四萬比丘收回，自己也現出真身，走到文殊菩薩面前頂禮，懺悔自己的罪行。

教多聞天王（毘沙門天）腳踏惡魔雕像
（CC0 Public Domain）

這些妖魔意圖擾亂修行人的故事，勸世意味較濃，惡魔的能力都不怎麼樣，似乎皆不是高階的天魔，大抵為魔徒魔孫級別。可是，故事中受擾的都是有定力的尊者，若然一般人遇到，恐怕未必如此輕鬆了。至於惡名昭著的波旬之事跡，我們留待第三章再分述。

道教的天魔與十魔

佛教有天魔，道教也有。道教經典將魔分成十類，分別為天魔、地魔、人魔、鬼魔、神魔、陽魔、陰魔、病魔、妖魔、境魔（註7）。道教向有「魔考」之說，意思是行人遇魔猶如學生考試一般，屬於一種考驗，跨得過，便可以在修煉一途上走得

更遠；跨不過，便會身陷魔界，甚至萬劫不復。而這十魔，有些較像「心魔」，只是修行者內心欲望所幻化，有些卻真為山精妖魔所變，但目的皆是阻礙人得證大道。

天魔：道教的天魔其實是元始天尊所幻化。什麼人才會見到天魔呢？那些在深山修煉之士，正煉火丹，修真養浩，但心念中仍帶有一絲纖塵，在靜境中出現異象，如見到莊嚴旛花、嗅到遍室奇香、耳聞仙樂之聲等，這些都是天魔的試煉。

地魔：行持之士在踏罡步斗或製作符水時心念不正，多半會受地魔的試煉。地魔會擾亂那人心神，使他忘記自身姓名和言語，甚至說出抵毀道法與經文的言論。

人魔：簡單來說，人魔就是人為的「魔」，各種世俗煩擾都可歸作此類。當行持之士正想修行或作法，倘若念頭起了偏差，便會無端端遇到各種人為紛擾，例如壇場搞得污穢腥臭，僧人尼姑俗人帶來各種衝突等等。當修行者被人魔惑亂法身，便會弄得呪訣、符水都不靈驗。

鬼魔：有些修行人把道壇建於郊野甚至墓地附近，這便要十分小心，因為稍一不慎，鬼魅便會現身，令屋宇發出怪聲，蛇蟲鼠蟻也會變得奇形

道教「驅魔真君」鍾旭畫像
（勝川春英繪，CC0 Public Domain）

105

怪狀，這些都是鬼魔的試煉。

神魔：那些驅邪除妖的修道之士要小心了，因為他們最易受「神魔」魔障。神魔的試煉最為變化多端，他們可能括起旋風把石頭吹得飛舞，又或弄出鬼哭神號的怪聲，乃至盜取法壇供品、丹藥祕密，總之沒完沒了搞得修真之士無法休息，這些都是神魔的把戲。

陽魔：當修真之士欲藉修行渡生關死劫便要小心，倘若心念不正，陽魔便會趁機引誘他情欲四起，又或生起諸般忿怒憎恨的情緒。

陰魔：有些居士修習祕文時一念之差，忽聞四野傳來悲歌，冷風大作，內心浮現各種偏激錯誤見解，起了貪念和嗔怒情緒，忽作妄語談及死亡陰暗，又或行在路上無端遇上死屍血穢，這些都是陰魔的試煉。

病魔：顧名思議指各種疾病，修行人因疾患纏綿不退，影響修持，這些都是病魔的試煉。

妖魔：泛指各類常出沒於山林間的狐妖山精、石怪妖魅。牠們害怕他人成道，於是化身為妖艷婦女，藉口借宿求食來誘惑修行人。

境魔：修行人士因見到某些事物而起了貪嗔之心，便會見到不該看的景象，聽到惡言惡語，甚至在居室之內看見由魔所幻化的氣息影像，這些都是境魔的試煉。（註8）

除了十魔，道教還有「五天大魔」、「五帝大魔」和「八帝大魔」等魔王，這在本書第三章再行詳述。

註1
《康熙字典·鬼部·十一》魔：《唐韻》莫波切《集韻》《韻會》眉波切，音摩。《說文》鬼也。《楞嚴經》降服諸魔。又天魔舞。《王建宮詞》子大夫魔舞袖長。《正字通》譯經論曰：魔，古從石作磨，省也。梁武帝改从鬼。

註2
《觀經定善義傳通記》卷第三：「且魔有四種，一五陰魔，二煩惱魔，三死魔，四天魔。上之三魔是汝身心，唯有天魔，是外來耳，安得不畏。」

註3
《佛祖統紀》：「諸經云：魔波旬在六欲頂，別有宮殿。今因果經乃為自在天王，如此則當第六天。有此兩異，蓋是譯者用義之不同也。」

註4
《大智度論》第五卷載，魔有四種：一者煩惱魔，二者陰魔，三者死魔，四者他化自在天子魔。

註5
《大方等大集經卷第四十一》記載，波旬擔心佛法令其失去民臣，作偈曰：「我失臣民及眷屬，境界宮殿悉空虛／復有十方大眾來，充滿於此娑婆界／各設無邊大供養，禮拜圍繞或往還／令我自在無威力，伴侶眷屬歸於彼」

另外，淨空法師：「四禪天頂有摩醯首羅天，摩醯首羅天也是個魔王，大魔王，他統轄三千大千世界。為什麼稱他作魔王？他很不喜歡人離開他的國度，人都離開了，他說我的人不都沒有了嗎？他有這個憂慮。總是希望人不要離開三千大千世界，是他的管轄區，障礙別人修道。」

註6
《維摩詰所說經》不思議品第六：「仁者！十方無量阿僧祇世界中作魔王者，多是住不可思議解脫菩薩，以方便力故，教化眾生，現作魔王。」

註7
《靈寶無量度人上經大法》卷四五：「行道之士，先明於制御之法，其魔有十，故具於篇內。學者深而造之，勿為魔之所試，斯道不難成矣。一曰天魔，二曰地魔，三曰人魔，四曰鬼魔，五曰神魔，六曰陽魔，七曰陰魔，八曰病魔，九曰妖魔，十曰境魔。」

註8
關於十魔之真身及對治之法，《靈寶無量度人上經大法 十魔境化品》有所詳述。

西藏鎮魔的風水佈局

魔，對於不同信仰地域民眾，自有不同的代表意義。昔日歐洲人曾受懼魔而大舉獵巫；而在佛土，同樣有人因戒懼「魔女」而嚴陣以待，甚至大興土木。

那是藏王（嚴格來講是吐蕃王）松贊干布在位期，時為公元7世紀。現今西藏，古時吐蕃之所在，不過吐蕃的版圖還要大得多，鼎盛時期疆域囊括今中國西藏、青海、甘肅、四川康巴地區，天山以南新疆和雲南西北部，尼泊爾、不丹，以及中亞和印度北部部分地區。這個鎮魔故事，正是發生在這疆域遼闊的國度。

相傳藏地風水險惡，必須佈局以鎮魔化剎。
Image by nrxfly from Pixabay

在人魔雜處的傳說年代，吐蕃彷彿群魔亂舞。話說尼婆羅（今尼泊爾）尺尊公主（註1）嫁給吐蕃王松贊干布，當時吐蕃的宗教是苯教，而尼婆羅卻信奉佛教，故此尺尊公主想在內鄔塘一帶修建寺廟供奉佛像，但一直波折重重，據說工人白天修建之處，晚上即為妖魔搗毀。

女魔橫臥

那麼尺尊怎麼辦？在這裡，故事的另一個主角登場，她是松贊干布的另一個王后，從大唐和番而來的文成公主。相傳，觀音菩薩察見吐蕃百姓的痛苦，流下兩滴眼淚化為度母，度母又化身為兩位公主，其中白度母變為尺尊公主，綠度母變身為文成公主（一說尺尊為綠度母，文成為白度母），她倆前赴吐蕃乃為解除世人苦難。

文成非但才華出眾，還精通風水勘輿之術，於是尺尊公主便請文成公主勘察尋找一處建寺佳地。（撇除傳說色彩，當時吐蕃正值佛法初傳期，文成公主和尺尊公主各自於本國攜同一尊釋迦牟尼佛像進藏，所以確有建寺以作供奉的需要。）

文成公主依據中土的「八十種五行算觀察法」，堪察西藏地形地貌，赫然發現藏地猶如一個仰臥的羅剎女魔，其中拉薩是女魔心臟部位，臥塘湖水是羅剎女的血液，紅山和藥王山宛若羅剎女魔的兩個乳房，東方切瑪日山則像羅剎女張開陰部。拉薩四周各有一座龜狀山峰，貌似女魔張開血盆大口。

文成公主又察知，吐蕃不僅如魔女仰臥，其風水更十分險惡，使群魔亂舞。藏地南方地形如同黑色蠍子在獵食、西方的汎岩像魔鬼在窺探；北方是魔鬼瑪摩睡覺之地，娘溝和奪底之間又如象群戰陣。東南角是厲鬼游行

之地、西南角是妖魔聚集之所。

依文成卜算，應當填平臥塘湖，建寺廟以鎮之。饒木齊小昭寺為龍神宮殿，也應在上面供奉佛像，以保國土安寧。於是，在松贊干布的主持下，以山羊馱土，填平臥塘湖建大昭寺；文成公主則在饒木齊修建小昭寺，供奉釋迦牟尼佛像。除在要害處修建兩座主寺外，他們還修建一系列用作鎮壓羅剎女魔的佛寺。

藏地魔蹤

羅剎女藏語叫做「森嫫」。羅剎是佛教概念（或更早的印度神話），藏地本無此說法，但「女魔」在藏地之傳說卻源遠流長，更有不同版本。

藏族起源有「獼猴變人」的傳說：古時神猴與魔女結合誕下小猴，繁衍成為藏族人。該傳說已流傳上千年。相傳有隻獼猴於雅礱河谷的山洞裡修行，岩窟魔女在洞前誘惑牠。獼猴得到上天指示與她結為夫妻，生下六隻小猴（一說是四隻），老獼猴把牠們帶到樹林生活。過了幾年，猴子繁衍到五百隻，然而林中的果子不夠眾猴子猴孫吃，於是老獼猴領牠們到一處有五穀種子之地，那兒的種子可不耕自長。眾猴從此吃不種而收的穀物，身上的毛和尾巴逐漸變短消失，還學會說話，日久變為人類。他們成為藏地最早的四大氏族（另一說六族）先祖。

佛教於吐蕃時期從印度、中土、西域、中亞等不同方向傳入西藏。因佛教興盛，藏地的原始神話開始變形：話說遠古之時，雪域只得飛禽走獸，尚未有人類。有一隻猴子終日在山洞中冥思苦修。後來，羅剎女魔每天在洞前誘惑猴子，說成神成佛有什麼好，何不和她結婚生子？猴子卻嚴辭拒絕。羅剎女魔惱羞成怒，就威脅說若猴子不娶她，她就和惡魔成親，讓魔

子魔孫統治雪域。事關整個雪域世界安危，猴子唯有求教觀音菩薩。菩薩聽聞後表示：「善哉，繁衍雪域子民，是大善之舉。你依了她便是。」

這故事把岩窟魔女換成羅剎女，都是為了結婚繁衍而無所不用其極，看來也不算窮凶極惡。但在古藏文記載的佛教故事裡，魔女卻會吃人！昔日，蓮花生大師從尼泊爾前往天竺那蘭陀寺取《本尊金剛橛十萬頌續部》經，僱用挑夫夏甲玉及伊蘇二人駄運，途中遇四魔女吞噬行人，兩個搬運工人慘遭毒手。蓮花生大師佯作奄奄一息，覷魔女不為意時施展神通，把她們收進帽內。抵達那蘭陀寺，四魔女獲釋放，向蓮花生大師發願成為本尊金剛橛之護法神，蓮花生大師遂應允她們所求。

蓮花生大師鎮魔事跡廣泛於藏地流傳。在拉薩西面堆龍德慶，有一隻色林大魔每天吞噬千萬生靈，無分人禽。一次雷雨大作，蓮花生大師決定降魔伏妖，出手對付色林。蓮花生大師連番追趕下，色林逃到一個渾濁大湖內，蓮花生大師命令他在湖裡懺悔，永世不得離開。該湖遂名為「色林堆錯」。

傳說有時並不一致。藏地流傳另一故事，話說蓮花生大師鎮殺了妖魔，妖魔死後，屍身化為藏地的山川，所以西藏的形狀看起來就成為魔女仰臥的樣子。究竟仰臥羅剎女是否真與蓮花生大師有關，難以稽考。總之，文成公主認為，羅剎女魔一日不除，一日沒有安寧日子，非鎮壓不可。

佈局鎮魔

藏民流傳松贊干布修建十二鎮魔寺以鎮壓女魔的記載（註2）。1991年，西藏自治區文物管理委員會整理夏宮羅布林卡文物時，發現兩幅高152.5厘米，寬72厘米的唐卡，其內容相同，均繪有西藏地貌，圖中有一巨型女魔裸體仰臥，她右臂舉起而手腕下垂，左臂上抬而手腕過頭，雙腿彎曲，

左腿遮蔽住陰部。全身繪有山河、湖泊、王宮和寺廟，儼如一張人體地圖，人稱之為《西藏鎮魔圖》。

從《西藏鎮魔圖》上看，女魔的心臟在西藏首府拉薩，東至四川和青海藏族地區，南至不丹，西至拉達克（即今西藏阿裏地區邊界），北至羌塘草原（即今天藏北和四川接壤的德格境內），可其當年的風水佈局，覆蓋面越過吐蕃時期的衛藏四茹——四個行政區域（註3）。

《西藏鎮魔圖》

這唐卡的發現，足證一直以來的傳說確有所本。相傳文成公主認為，拉薩地勢形似八瓣蓮花，但不具足八種吉祥之相，反而有八種或五種地煞，雪域吐蕃形如一個仰臥的女魔，必有惡魔作祟，要長治久安，必須防止羅剎女甦醒過來，而對應之法，便是佈成大型風水結界，鎮住魔女全身。除了修建主力的大、小昭寺，鎮壓魔女心骨外，為了牢牢拑制魔女，永保吐蕃平安，松贊干布又依照文成公主之策，用十二根「釘」鎮住魔女四肢與關節。那釘子，便是「鎮魔十二寺」，裡頭供奉佛祖聖像，以鎮儡妖魔鬼怪，為雪域帶來無量的功德。

鎮肢四寺

先在衛藏四茹修建鎮肢四寺院，鎮封魔女的左肩、右肩、左足、右足。

女魔左肩：地處雅隆河東岸，位於今天山南地區乃東縣昌珠區，在其上建「昌珠寺」。據說那兒原為水池，水裡有妖魔作怪，松贊干布變化神通，化為大鵬消滅水怪，之後水塘乾涸，修建的昌珠寺至今猶存。

女魔右肩：位處今天拉薩以東墨竹工卡縣秀絨河與瑪曲河彙合處，瑪曲河東岸，在其上修建噶澤寺。相傳，赤松德贊王時期，蓮花生大師調伏一條惡龍，令其發誓保護佛法，噶澤寺便是為了供祀而建。松贊干布修建該寺加強鎮魔之效。

女魔左足：地處雅魯藏布江之東，即今天日喀則地區拉孜與彭措林交界處，古屬茹拉區域，如今在拉孜縣境，在其上建建仲巴江寺（或譯仲巴傑、章巴炯）。

女魔右足：地處今天日喀則地區南木林縣東南的雅魯藏布江北岸，在其上建藏昌寺（仗章寺）。

鎮節四寺

據說，大、小昭寺和衛藏四茹寺修建之後，女魔仍有餘力作怪。於是文成公主根據白虎、青龍、朱雀、玄武的四方風水理論，分別在女魔身體關節上再建鎮節四寺院。

女魔左肘：地處今日山南洛扎縣夏曲河與怒曲河彙合處，南與不丹接壤，

在其上修建洛扎昆廷寺（今名洛扎拉康）。傳說，洛扎拉康是
噶舉派瑪爾巴尊者昔日修行的寺院。

女魔右肘：地處今天林芝地區林芝縣布久區，在其上建布曲寺（貢布博曲
寺）。該寺於1930年大地震遭受嚴重破壞，後雖經修復，但
建築和壁畫藝術今非昔比。

女魔左膝：地處今日喀則地區仲巴縣，於此建江扎東哲寺（彭唐結曲寺）。

女魔右膝：地處今日喀則地區吉隆縣南部，與尼泊爾邊界相接，於此建降
真格傑寺（江察希昂欽寺）。

鎮翼四寺

根據文成公主的推算，又在西藏修建四大鎮翼寺。

女魔左掌心：地處今日四川甘孜藏族自治州鄧柯縣，於此建隆塘卓瑪寺
（隆唐宇瑪寺），據說此寺是延清彌約（即西夏）工匠建
造。

女魔右掌心：地處朋塘吉曲河畔，朋塘位於不丹中部，吉曲是一條河，從
洛扎西部門戶對出，經過麥拉嘎俊山流入朋塘。於河畔修建
朋塘吉曲寺。據說由吐火羅的匠師興建。

女魔左足心：地處西藏阿平地區，以及古代吐蕃屬地拉達克境內，於其上
修建蔡日喜鐃卓瑪寺。

女魔右足心：地處藏北草原，於其上建倉巴弄倫寺（傖巴隆寺），據說由
　　　　　霍爾工匠建造。

鎮肢、鎮節、鎮翼，合計十二寺，是為鎮魔十二寺。十二鎮魔寺是鎮伏女
魔的主要寺廟，而為了徹底改善惡劣風水，松贊干布在整個吐蕃，從拉薩
到邊境範圍建造了一百零八座寺院，以大昭寺為中心，以同心圓形式向四
周發散修建小廟佛塔，例如，為了對治「地水風火」四大災害，在東方修
建了噶曲、岡曲、林曲三寺；在南方修建了皇支琅卓寺和林塘寺；在西方
修建了古朗、興昆二寺；在北方修建了格日、巴日二寺。

相傳松贊干布認為，東西方有水怪兀立狀地煞作怪，需要鎮海螺塔；東面
的上部沙縠有女魔張臂狀之地煞，需要鎮以大自在天陽舉塔；南面珠卡賽
有烏龜攝食狀之地煞，需要鎮以大鵬鳥啄塔；西面的樺林山有黑魔嘹望狀
之地煞，需要鎮以黃色佛塔；北面娘占至杜岱之間的山巒中有大象入陣狀
之地煞，而靠山巒西面的甘丹湖則有厲鬼出沒的通道，則需要分別鎮之以
石獅與白塔；在西面的藥王山上有女魔窟，需要修建怗主聖像；在北面的
若冒切的草甸上有龍王畏怖宮，需要供奉佛主釋迦牟尼聖像。

這些傳說，雖與歷史關係匪淺，恐怕與史實尚有一段距離，像《西藏鎮魔
圖》所繪地貌，也與該地地形不全吻合。但傳說於藏人之真實性，卻絲毫
不亞於歷史。隨著吐蕃寺院修建起來，各處發展出以寺院為基地的鎮魔驅
邪儀式。為了政教平安，根據噶廈雪藏書《羅剎女仰臥風水相譜》中禳
災祈福之法，每逢一年重要時刻，眾喇嘛於壇城作法事，如在鎮肢聖地拉
薩近郊的根沛吾孜峰、覺穆斯斯、嘉桑曲沃日峰、山南桑鳶寺赫布日峰等
地，為大自在天誦經祈禱；又在保佑西藏眾生的神山舉行燔柴煙祭；為維
護善業的諸護法神設祭供、掛經幡，藉此祈福驅邪。可見對篤信佛法的藏

民來說，魔女之說並非單單「歷史故事」如此簡單。

17世紀時繪畫的西藏五神曼荼羅
AnonymousUnknown author, Public domain, via Wikimedia Commons

註1

也譯赤尊公主

註2

如高僧欽哲旺布在一部朝聖志說松贊干布「遵從堪輿家言，為鎮壓羅剎女左肩，故赴雅礱建寺……即昌珠寺。」

夏格巴‧旺秋德丹在《高階西藏政治史》說：「藏王……遵照向本尊神求賜的預言，修建了以昌珠吉祥慈正寺為主的鎮肢、鎮節、鎮掌等寺廟。」

註3

公元7世紀松贊干布統一西藏各部，建立衛藏伍茹、約茹、葉茹、茹拉等四茹，後來又增設孫波茹和羊同茹。

Mystery 3

魔眾

誰為正邪定分界,神魔本難辨。有些魔君本是神,教派失勢便淪為魔。有些魔頭慧根高,或只是奉命耍壞,未來之世會成仙成佛。
本章魔眾皆在「魔界」赫赫有名,甚具代表性,堪稱魔氣縱橫。

撒旦（Satan）

如果魔界也有老大，撒旦恐必是惡魔頭兒，起碼在絕大多數人類心目中如此認定。

英語裡，Devil魔鬼的泛稱，加上「the」就才專指一些有名有姓的大魔頭，亦即撒旦、路西法、別西卜等惡魔。不過，傳統基督教把撒旦、路西法、別西卜都視作同一尊惡魔，反正都是上帝的敵人，不用分得那麼細。

Devil（魔鬼）的語源有二說，一指譯自祆教之「daevas」，另一說源自希臘文「diablos」，兩者都是該地民族對鬼魔的稱呼。而撒旦Satan，詞源自希伯來語「adversary」，大概是控告、誹謗、對手、敵對者的意思。追源溯本，「撒旦」這概念，乃啟自古老的信仰。

《大英百科全書》說，在亞伯拉罕宗教裡（即猶太教、基督教和伊斯蘭教），撒旦是惡靈王子、神的敵人。（註1）關於撒旦的身份與目的，似經歷兩階段的蛻變。舊約時，他以天使的身份出現，職責是試驗和引誘人類，僅僅是人類的敵對者，仍聽命於上帝，頂多有點作對吧。

譬如，在＜約伯記＞中，耶和華問撒旦說：「你從哪裡來？」撒旦回答說：「我從地上走來走去，往返而來。」當時撒旦仍只奉命行事。不過時會遭到上帝的訓斥。（註2）

上帝稱讚虔誠的信徒約伯：「你是否曾察看我的僕人約伯？地球上再沒有人像他那樣完全正直，敬畏神，遠離惡事。」

撒旦抬槓，認為約伯正直只因藉此得到神的賞賜，連番挑釁下，這位猶太人的神與「天使」便以林林總總的考驗來測試約伯，包括使他受難、散盡家財、家破人亡。由於約伯堅守信仰，後來上帝戲劇性地降臨人間，恢復約伯的名譽與財富。

撒旦誘使上帝給人類降災、引人犯罪，用以試探人性。信徒也許視為理所當然，非信徒則大抵不以為然，莫非世上所有的「惡與不幸」都是神明與魔鬼的賭局？也許正因如此，發展到後來，基督宗教為了保護神性，把撒旦視為墮落天使，擔當「邪惡」的揹黑鍋象徵，與上帝正面對立起來。

故事如是說：撒旦背叛了上帝，與其追隨者一起給驅趕出天堂。於是，撒旦獨立起來，專門與上帝搞對抗，譬如奪走人心中的「道」（註3）。後來，他還膽敢引誘在曠野禁食的耶穌。基督教視耶穌為神之子，亦是神的化身，換言之撒旦試探的是上帝本尊，要嗎他膽大包天，要嗎堂堂魔鬼資訊太落後了，居然有眼不識泰山。

其實，天主和基督教會主張魔鬼絕對臣服於上帝，只能在許可範圍下工作，但對民間大眾而言（尤其中世紀的民眾），魔鬼卻是上帝的對手。

新約各作者，對撒旦均有不同的稱呼，最普遍仍是撒旦，此外亦有鬼魔（diablolos），別西卜（Beelzeboul）、空中掌權者的首領、「管轄這幽暗世界的」。

《聖經》或「正統」福音書，並未正式敘述過魔鬼的長相。早期的魔鬼，較常以蛇或爬蟲類的樣貌示人，因為他以蛇的身份誘惑夏娃。

由於撒旦曾是天使，所以早期的畫像魔鬼會搭配一雙鳥類的羽翼。自14世紀初開始，魔鬼的雙翼多改繪成蝙蝠狀的膜翅。如但丁在神曲裏，形容路西法，便說他的翅膀上面並不長著羽毛，只是和蝙蝠一樣的質地。

撒旦的形象漸漸成形，從那時起，撒旦經常被描述為頭上長角的惡魔，擁有山羊的下半身還有一條尾巴，在一些畫像中，它甚至會拿著三叉戟，而這武器大抵來自希臘神話海神波塞頓的。不單如此，耶教魔鬼的形象普遍來自異教傳統，包括歐洲傳統信仰與希臘神話，像是潘恩（Pan）、Cernunnos, Molek, Selene與酒神，尤其是潘恩。

到了新約，撒旦有了更兇猛的造型：《聖經》形容他為一條紅龍（註4）。除了紅龍，基督宗教有時也把海怪利維坦（Leviathan）視為撒旦。

撒旦
Satan, Johannes Josephus Aarts, Public domain

122

註1
《大英百科全書》數字版網頁上找到的定義：〝Satan, in the Abrahamic religions (Judaism, Christianity, and Islam), the prince of evil spirits and adversary of God.〞

註2
＜撒迦利亞書 3:2 ＞
現代標點和合本 (CUVMP Traditional)
耶和華向撒旦說：「撒旦哪，耶和華責備你，就是揀選耶路撒冷的耶和華責備你！這不是從火中抽出來的一根柴嗎？」

註3
＜馬可福音 4:15＞
現代標點和合本 (CUVMP Traditional)
那撒在路旁的，就是人聽了道，撒旦立刻來，把撒在他心裡的道奪了去。

註4
＜啟示錄 12:9＞：大龍就是那古蛇，名叫魔鬼，又叫撒旦，是迷惑普天下的。牠被摔在地上，牠的使者也一同被摔下去。

路西法（Lucifer）

主流基督宗教，把路西法等同撒旦。對於抱持「路西法主義」的人來說（基督宗教視之為異端），路西法是路西法，撒旦是撒旦，不可混為一談（註1）。從神話學來看，路西法另有本源；但約定俗成地看，說路西法便是撒旦，也不能說錯。

中文和合本《聖經》以賽亞書如此描述：

「明亮之星，早晨之子啊，你何竟從天墜落？你這攻敗列國的何竟被砍倒在地上？你心裡曾說：我要升到天上；我要高舉我的寶座在神眾星以上；我要坐在聚會的山上，在北方的極處。我要升到高雲之上；我要與至上者同等。然而，你必墜落陰間，到坑中極深之處。」

路西法中文音譯另有路濟弗爾、魯西弗等，原文是「helel ben shahar」，意為「明亮之星，黎明之子」，五世紀時有譯本把「明亮之星」的部分譯作拉丁文「lucifer」，由lux（光）和ferre（帶來）所組成。Lucifer的拉丁字義小寫時有「照耀者」之意，大寫時則有「金星」、「魔鬼首領」的意思。

早期的基督教士，以拉丁語中代表明亮之星的「lucifer」來稱呼撒旦，儘管《聖經》中似乎並未一鎚定音指明撒旦就是路西法。不過，神學家認

為以賽亞書所描述的路西法墮落，與耶穌在路加福音中提及內容別無二致：「我曾看見撒但從天上墜落，像閃電一樣。」因此他們推斷路西法就是撒旦。詩人但丁在《神曲》中就用了Lucifer，Satan，Beelzebob（別西卜），Dis等來描述地獄之主─魔鬼。

可是，誰擔保路西法與撒旦不是兩個墮落天使，分別從天上掉下深淵？據聖奧古斯丁（Aurelius Augustinus）在《上帝之城》（De Civitate Dei）所言，有些天使背棄了神，墮落了成為惡魔，其犯罪的契機就是心生傲慢。

路西法
Image by Jan van der Straet, Public domain

傳說,路西法是熾天使(Sraphim),本來最受上帝寵愛,唯因自視過高,認為自己應該與神平等(名著《神曲》及《失樂園》說他拒絕臣服聖子),率領眾多天使反抗神,失敗後被趕出天界墮入地獄。

以賽亞書中記載的路西法,或是隱喻巴比倫王,他企圖消滅以色列,卻被希伯來人逮捕。但從神話結構來看,路西法之原形,可能是迦南神話裏的破曉之神「撒赫爾」。迦南神話中有「拂曉之星」撒赫爾(Shaharu / Shaiem),與「黃昏之星」撒冷(Shalimmu/Shahem)為雙胞神明,因凱覦光芒更盛的太陽神王座,撒赫爾發動叛亂,失敗後遭放逐趕離天堂。

路西法坐鎮地獄後,統領魔鬼大軍,赫赫有名的手下包括親信巴欽(Bathin),他通常待在地獄最底層,及72惡魔之一的派蒙(Paimon)等。

註1
正如港產片《回魂夜》經典對白:「七孔流血還七孔流血,死還死,兩樣嘢嚟嘅」

巴弗滅（Baphomet）

作為好幾個撒旦教派的「吉祥物」，一個擁有女人上身，長著山羊角、雙足為山羊腳、背負雙翼，額頭上顯現五芒星的惡魔——巴弗滅（Baphomet），雖然歷史不如撒旦、路西法般悠久，卻也越來越為現代人所認識。

巴弗滅的一身造型，普遍相信由希臘神話的神明「潘」（Pan）演化而來。潘是半人半獸神，外型為男人身軀加上山羊頭與山羊腳。然而，潘是牧羊之神，明明不是惡魔，為什麼牠的羊頭形象日後會「妖魔化」？背後原因，眾說紛紜。

一說《聖經》有個分羊的比喻，耶穌把信徒分為兩邊，一邊是能得救的綿羊，一邊是不能得救的山羊。於是乎，信徒們日久便歧視山羊起來，把山羊視為惡的象徵。

一說在15世紀，詩人漢斯·薩克斯（Hans　Sachs）在詩中提及，魔鬼被上帝戲弄，大怒下自挖雙眼，裝到山羊眼眶裡，自此以山羊形象示人。

一說在日耳曼傳說，上帝創造萬物，魔鬼卻創造了山羊，因此山羊成為惡魔的代表。

127

其實，巴弗滅的造型可能在19世紀才出現。法國魔法師艾利佛斯‧李維（Eliphas Levi）繪畫了一張羊頭惡魔的圖，成為日後巴弗滅的造型基礎。而李維所繪之圖，參考了塔羅牌的惡魔牌，因此近代巴弗滅形貌可謂源自塔羅牌。至於塔羅牌起源何來，同樣眾說紛紜，為免弄得太複雜，我們且莫追究下去。

巴弗滅的「魔名」始於何時？1098年7月，來自法國里布蒙（Ribemont）的十字軍安瑟姆（Anselm）所寫的一封信裡，描述第一次十字軍東征中的「安條克之圍」。當時在塔蘭托公爵博希蒙德一世的指揮下，十字軍圍攻安條克，然而礙於城牆堅固，十字軍屢攻不克，卻始終沒有撤圍，殘酷的圍城戰持續了8個月，直至1098年的6月3日，十字軍終於攻入了安條克。安瑟姆在信中寫道：「第二天到來時，他們（土耳其人）大聲呼喚巴弗滅（Baphometh）；之後我們默默向上帝祈禱，終於將他們攻克逼出城牆。」

1195年，普羅旺斯游吟詩人Troubadour Gavaudan的詩篇《Senhors, per los nostres peccatz》詠唱「巴弗滅引誘了那些改變立場的叛徒」（英文翻譯為the Baphomet has seduced and the renegades that have changed side.）此外，1250年一首哀悼第七次十字軍東征失敗的詩中，游吟詩人Austorc d›Aorlhac也提及Bafomet。

那麼，究竟他們所講的巴弗滅是什麼意思？有學者相信，巴弗滅其實是伊斯蘭先知默罕默德（Mahomet）的訛用。譬如安條克之圍一役，土耳其人呼喚的其實是默罕默德，只是十字軍人聽錯了。加泰羅尼亞詩人、神秘主義者拉蒙‧柳利（Ramon Llull）的作品《Libre de doctrina pueril》中，其中一篇介紹穆罕默德生平的文章，題目正是「De Bafomet」。

或說，Bafomet 來自希臘語「Baphe metis」，當中Baphe意為「洗禮」，metis指的是希臘智慧女神墨提斯，所以巴弗滅的含意其實是「智慧女神的洗禮」。

無論如何，基督宗教視巴弗滅為異教惡魔，自是無可置疑。真正令巴弗滅揚魔名於天下者，就是鼎鼎大名的聖殿騎士團（Knights Templars）。一份來自法國15世紀的手稿記載，法國國王腓力四世（Philips IV）指控聖殿騎士團崇拜惡魔巴弗滅。

1307年10月13日星期五，法國國王腓力四世下達捉拿聖殿騎士團命令，許多聖殿騎士被捕，然後遭受嚴刑迫供（據說，該逮捕行動正是「黑色星期五」的由來）。對聖殿騎士的指控超過百種，包括同性戀、在十字架上吐痰和撒尿、背離上帝信仰等。許多聖殿騎士成員被捕後受刑求，口供皆提到崇拜惡魔巴弗滅，最後他們因異端信仰被燒死。這可會是屈打成招？聖殿騎士很可能是被迫承認膜拜魔鬼，更胡亂捏造一頭叫巴弗滅的惡魔來。因為腓力四世的其他政敵，也曾被控幾乎相同的罪名。

然而，歷史學家的意見不一，有些學者認為如此大事難以完全取決於偽造。梵蒂岡機密檔案「希農羊皮紙」（Chinon parchment，梵蒂岡於2007年正式公開於世）披露，原來當日聖殿騎士團被裁定被裁定為「可能悖德，未至異端」，皆因其入會儀式中，的確要求新成員向十字架吐口水。學者對此提出各種解釋，一是此舉是效法彼得三次不認基督，二是由於騎士團長期與異教徒作戰，隨時有被俘的風險，這儀式是模擬被俘而作的心理準備。歷史學家米高‧哈格（Michael Haag）提出，對巴弗滅的模擬崇拜，確實是聖殿騎士會內儀式一部分。一個聖殿騎士供認，曾在蒙彼利埃（Montpellier）見過巴弗滅雕像。

魔界默示錄 惡魔傳說解密

「希農羊皮紙」的解密,僅僅解開歷史之謎一部分,究竟巴弗滅是否真的子虛烏有,純屬受害者的胡編亂謅?

我們知道,當世風行網絡的的巴弗滅形象,源自19世紀法國魔法師艾利佛斯・李維在著作《高等魔法的信條與儀式》(Transcendental Magic: Its Doctrine and Ritual)所繪之畫。他描繪了一尊頭有山羊角、羊角之間豎著火把、額頭有五角星、上半身擁有女性乳房、下半身為男性身軀、腹部纏繞著毒蛇、背部長著翅膀的「曼德斯的巴弗滅」(The Baphoment of Mendes)畫像。

李維所描繪的巴弗滅充滿符號象徵。巴弗滅右手以兩隻手指指向天上,左手兩隻手指指向地下,象徵「如其在上,如其在下」(as above, so below),這是煉金術金句,相傳由希臘神祇赫密斯(Hermes)親手寫在翡翠石板上,意思是「上面怎麼樣,下面跟它一樣」,引申義就是「外在是內在的反映」,靈魂是宇宙的縮影。另外,其手臂分別刻上「SOLVE(分離)」和「COAGULA(結合)」兩個拉丁單字,普遍認為源出用基督教的「捆綁與釋放」(binding and loosing)概念。巴弗滅腹部中間的雙蛇杖(Caduceus),是希臘神祇赫密斯所用的魔杖,象徵貿易、談判、對等的力量。

近世的巴弗滅造像,其含意更現代和「進步」。例如「撒旦聖殿」安放於底特律的巴弗滅雕像,身旁站著一對微笑的男孩和女孩,神情完全不畏懼眼前的怪物,象徵巴弗滅並不如外界以為是殘忍的惡魔。巴弗滅頭上羊角的火炬是智慧之角,反映撒旦聖殿的中心信念:「智慧的火焰在兩角之間燃燒著,是宇宙平衡的神奇光源,靈魂昇華的象徵,被而在萬物之上照耀著。」雕像前的石碑寫著撒旦聖殿的七個根本的信條:「憐憫、智 慧、

正義的精神永遠勝過書寫或說話。」（The spirit of compassion, wisdom, and justice should always prevail over the written or spoken word.）

巴弗滅雖然不見於宗教經典，其身世之曲折離奇卻一點不弱於撒旦，對於現代人來說堪稱一頭活生生的魔。

巴弗滅
Image by Èliphas Lèvi, Public domain

巴力（Baal）

「成王敗寇」此成語，放到神魔界原來也通用。巴力（Baal）這古代中東地區的神，今天卻是許多人印象中的魔。是祂墮落為魔嗎？不，嚴格來說，祂是敗了，輸在一場人類的宗教戰爭之中。

古時迦南地區（地中海東岸的沿海低地，即如今以色列、黎巴嫩和敘利亞臨海一帶），住著古老民族腓尼基（Phoenicia）人，他們自稱為迦南人（Canaan），所信奉的眾多神祇中，巴力尤其顯得重要。巴力是萬神殿裡主神之一，其名字含有「所有者」或「主」的意思。

祂是迦南地的豐饒神和生育神，有天堂之主巴爾薩曼（baalke Shamen）的威名，也被稱為大地、雨和露水之王，主宰植物的生長與枯萎。

1929年，敘利亞北部的烏加里特（Ugarit，今稱拉斯珊拉Ras Shamra）發現許多石碑，這些石碑的歷史可追溯至公元前二世紀中期。碑文記載了巴力鮮為人知的事跡：迦南神話裡有兩尊神，分別是肩負生命和生育之神巴力，以及掌管死亡和不育之神莫特（Mot），二神經年累月循環爭戰，如果巴力贏出，人間將迎來七年的生育豐收年；若然莫特戰勝，世上將面臨七年乾旱與飢荒。

巴力身為天堂之主，王權卻非繼承而來，乃從海神亞姆（Yamm）手中搶

奪得來。這位迦南神話的勝利者，於人世間的宗教興衰卻敗下陣來，自基督宗教強勢崛起，巴力這位異教神難免被趕落神壇，貶為惡魔。《聖經》裡，耶和華好幾次勃然大怒也與巴力有關，一次怒降大瘟疫，理由是以色列人膽敢崇拜「巴力毗珥」（Baalpeor）；另一次更烈火焚城，只因該城市崇拜「巴力比利土」（Baal-berith）。順帶一提，那年頭，原本只屬一尊神名諱的巴力，漸變成許多不同異教神／魔的代名詞。譬如，另一尊見於《聖經》的惡魔別西卜（Beelzebub），其名字或是源自巴力西卜（Baal-zebul）。

歷來世人對巴力的外貌形容不一。《以諾書》說巴力擁有人的身體，長著貓頭與青蛙頭；也有說祂蜘蛛胴體、蟹頭人身，或描繪為擁有貓、蟾蜍和人三個頭顱的怪物，能隨心所欲變化外形，在地獄裡掌管東方。魔法書《所羅門之鑰》（Key of Solomon，傳說為所羅門王撰寫，實際應該是由中世紀一班術士編寫）更稱巴力是72魔神之首。

巴力
Louvre Museum, Public domain, via Wikimedia Commons

別西卜（Beelzebub）

別西卜（Beelzebub），人們有時把他視同腓尼基人的神巴力，皆因其名字或是源自巴力西卜（Baal-zebul），昔日在埃克龍（Ekron）受人崇拜。可是，後來其命運與巴力一樣，成為猶太教、基督宗教體系下的魔，永世難以翻身。

為何與巴力扯上關係呢？溯其詞源，有兩種說法。據美索不達米亞的楔形文字表意，「西卜」乃指居所，尤其是高處的居所，意為天堂。「別」（beel）則是「主」。所謂「別西卜」，解構開來就是「天上的主」，位階正好與巴力相仿。

奇怪的是，民間流傳的造型上，別西卜模樣卻有別於巴力，通常把他描繪為一只蒼蠅怪物。原來，猶太教的拉比（宗教導師）一直用「蒼蠅王」來形容別西卜，這是因為希伯來文的ba›alzebub，意思正是「蒼蠅王」，這是Beel-zebul詞源的另一說法。

拉比們舞文弄墨，無非想醜化異教神。蒼蠅在古代近東正正代表鬼魔，皆因蠅類以排泄盛宴為食，比喻惡魔信徒如蒼蠅般追逐糞土。湊巧的是，烏加里特語文字記載，巴力能夠驅使蒼蠅，這是人類生病的原因之一。

正由於別西卜名字的這一層意思，所以常給描繪為巨大蒼蠅。19世紀法國

作者普朗西（Collin de Plancy）所著的《地獄辭典》，書中插圖把別西卜繪畫成一隻像蠅又似蜂，能夠飛行的巨型昆蟲，翅膀上有骷髏圖案。此巨大蒼蠅的形象影響至今。

傳說別西卜為地獄最高統領。密爾頓《失樂園》說他是撒旦以外地位最高的惡魔。許多人認為，他亦是最接近路西法的邪魔。相傳別西卜曾率領眾魔反抗撒旦，其本身實力亦足以挑戰大天使加百列（Gabriel），足見其強大。

基督教有一著名故事，耶穌趕鬼，被人指責「這個人趕鬼，無非是靠著鬼王別西卜啊！」耶穌回答：「若撒旦趕逐撒旦，就是自相紛爭，他的國怎能站得住呢？我若靠著別西卜趕鬼，你們的子弟趕鬼又靠著誰呢？」可見基督宗教是把別西卜等同於撒旦來看。

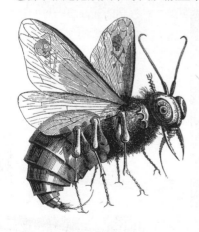

別西卜
Louis Le Breton, Public domain, via Wikimedia Commons

1692年2月至1693年5月期間，美國麻省茜林發生塞勒姆審巫案，審判期間，別西卜的名字屢見於被告口供。這是北美或歐洲最後一次大規模獵巫，時至今日，世人對惡魔的恐懼也許減弱了些，耶教的勢力亦不復以往，但熟稔《聖經》的信徒，自必知道別西卜是誰，甚至教外大眾，多多少少也聽過其魔名。古代近東的宗教已然式微，但別西卜卻依附別教而留名至今，倒不知是幸還是不幸了。

梅菲斯特（Mephisto）

梅菲斯特費利斯（Mephistopheles），簡稱梅菲斯特（Mephisto），這惡魔有別於其他魔頭，因為其名號不見於宗教典籍，不見於神話故事，有人說此魔僅屬文學作品的虛構角色，但筆者認為，他本質是依附於真實人物--浮士德的傳說，而留名於世之惡魔。

許多人想必對梅菲斯特的故事耳熟能詳了。學者浮士德以其靈魂與惡魔對賭，那頭惡魔便是梅菲斯特。他通常以蒼白男子的形象現身，擁有一頭黑髮，眉毛歪斜、鬍鬚尖細，卻不掩藏惡魔特徵，你會見到他縮小的角、翅膀和帶刺的尾巴。他身穿文藝復興風格的服裝：蓬鬆的衣袖和褲子，短披肩、羽毛帽以及緊身尖頭褲襪，皆由紅色和黑色的絲綢製成。

的確，令梅菲斯特聲名大噪的，是歌德（Johann Wolfgang von Goethe）的劇作。然而早在1527年出版的《Praxis Magia Faustiana》，已見到梅菲斯特之名。他的名字來源及含意頗具爭議。有人認為，Mephistophelēs在拉丁語的意思是「有害的膽汁」；有人認為此名解作「避開光明的人」；有人甚至追溯到希伯來語單詞「Tophel」，意為騙子。

最初，世人講起浮士德的惡魔才會提及梅菲斯特。後來它獨立起來，開始出現於別的文學作品，例如莎士比亞便在《溫莎的風流娘們》（The Merry Wives of Windor）裡提及梅菲斯特。

在「惡魔」系統裡，梅菲斯特地位不高，因為在不同神話及信仰體系中它均缺席。但根據某些有關基督教神秘主義的經外文獻，以及17世紀期間面世的相關著作，可以見到梅菲斯特的事跡。據說它是第一個加入路西法的叛神者，當叛亂天使被驅逐出天堂時，僅次於路西法的梅菲斯特也跟著墮落。為了換取其忠誠，路西法授予梅菲斯特權力，擔當「詹尼斯坦」（Jinnestan）的副首領。「詹尼斯坦」是地獄中的一處領域，由「鎮尼」（Jinn，伊斯蘭教的精靈）與其他惡魔合作管理。

梅菲斯特
Eugène Delacroix, Public domain, via Wikimedia Commons

莉莉絲（Lilith）

世上第一個男人，叫亞當；第一個女人，叫夏娃，就算你不是基督教徒，這種常識中的常識幾乎人盡皆知。然而常識以外的秘傳，世上第一個女人、亞當第一任妻子，原來叫莉莉絲（Lilith），不是夏娃。

《聖經》中裡提到Lilth的是的《以賽亞書34:14》，在那裡，她僅與柴狼、魔羊等獸並列，華文譯為「夜間的怪物」（註1），並未提及她與亞當的關係。

中世紀（估計公元7世紀至11世紀）一份迭名文獻《便西拉的字母》（The Alphabet of Ben-Sira）述及莉莉絲是亞當的妻子，因不願服從及居於亞當之下而離開。文獻宣稱猶太人在被虜到巴比倫的這段時期，曾一度有過莉莉絲的信仰。話說巴比倫國王尼布甲尼撒二世的小兒子病了，國王對便西拉說：「把我的兒子治好，不然你就得死」。便西拉立刻坐了下來並將神的名字寫在護身符上，並同時記下負責醫療的天使的名字、外型、肖像以及他們的翅膀、手腳。尼布甲尼撒看着這個護身符問：「這些是誰？」便西拉解釋說：

「負責醫療的三個天使：Snvi、Snsvi以及Smnglof。上帝創造了孤獨的亞當之後，他『那人獨居不好、我要為他造一個配偶幫助他。』於是，他利用創造亞當的方法，用泥土為亞當創造了一個女人，喚她做莉莉絲。亞當

和莉莉絲打鬥起來。莉莉絲說『我不可在下』，而亞當說『我當在上，不可在你之下；你當在下，我在你之上』。莉莉絲回答說：『我們皆是從土裏生的，故而你我無差』。他們兩個都不接受對方的意見。莉莉絲見狀，說了上帝隱秘的名字後逃走了。亞當向造物主祈禱：『萬物的主啊！你賜給我的女人跑了。』主立刻給了他祝福，派三個天使把莉莉絲帶回來。

神對亞當說，『如果她願意回來最好，否則，以後每天就會有她的100個子孫死掉』。天使告別了神去追莉莉絲。他們在紅海中央找到了她。他們將神的話告訴她，但是她還是不願回來。天使說『我們要將你溺死在大海之中』。

『躲開！』她說，『我以致初生小兒於病而受造，若為男孩，我當支配他直至出生後第八天，若為女孩，則20天』。

聽到了莉莉絲的話，天使們堅持要她回去。但是莉莉絲以永恆之神的名向他們起誓：『無論何時當我在護身符上看到你們的名字、形象，我會失去了給小兒致病的力量』。並且，她同意日後每天有100個她的子孫死去。從此，每天有100個魔鬼死去，並由於同樣的原因，我們將天使的名字寫在小孩子的護身符上。當莉莉絲看到他們的名字時，她便記起了她的誓言，於是小孩就痊癒了。』（註2）

中間還有一段情節說，莉莉絲和野獸、魔鬼們性交，在紅海以每日100個的速度產下惡魔之子。同時她也不斷殺死亞當的後代嬰兒。痛苦的亞當向神禱告，遂出現上述三位天使追捕莉莉絲的故事。亦因如此，猶太人相傳男孩出生後第八天行過割禮（circumcision），莉莉絲便不可再加侵犯，女孩則要等20天。

但《便西拉的字母》並非最早提及莉莉絲的文獻（註3），猶太教的拉比文學早有莉莉絲事跡的流傳。有學者相信，莉莉絲發源於美索不達米亞的蘇美爾神話，是從蘇美爾語字根「夜晚」而來，因此翻譯為夜間活動的夜魔。或說阿卡德文字有「莉莉杜」（Lilitu）女神，根據蘇美爾字根的「LYL」意思，「Lilit」該是風暴惡魔。另有學者認為，莉莉絲可能是愛神，戰神，性欲之神伊南娜；又或是巴比倫農業女神衹『比利特莉』、『比莉莉』（Belitili、Belili）之化身。

在猶太神秘主義「卡巴拉」的信仰中，莉莉斯變為墮落天使薩麥爾（Samael）的妻子，由於記恨上帝殺死她的孩子，因此在夜晚殺害人類小孩作為報復，還與薩麥爾的女兒Lilim（英文為Lilin）一同殺害小孩。大抵因為這些傳說，中世紀修士有時將莉莉絲視作吸血鬼，而現代人則基於中世紀傳說創造出莉莉絲是吸血鬼始祖的說法。

莉莉絲與魔鬼交合誕下的後裔，便是在西方民間赫赫有名的「魅魔」（女魅魔Succubus，男魅魔Incubus）。女魅魔常以性感女郎形象示人，會進入男性夢裡大肆勾引，藉性交來奪取對方的精力與精液，從而孕育新的魅魔。男魅魔的引誘對象是人類女性，雖然本身不能生產精液，但它們會變化，可化為女魅魔採集男性精液，故此受男夜魔性侵的女性，相傳有機會懷孕。

與魅魔發生性行為的男人，大多報稱經歷是愉悅的，但宗教人士揚言，與魔鬼交合會令健康受損，甚至死亡，這倒與東方的採陽補陰概念相類。反之被男魅魔侵襲的女人，會有一種受壓迫的痛苦感覺。魅魔族群中有一統領全族的領袖，通常描述為美男子，但真實性別不明。

其他文化也有類似魅魔的惡靈。阿拉伯文化中，有種叫吉恩斯的惡魔，它們是人類性行為的根源。非洲信仰裡，男人在夢中與美麗的女妖魔性交，醒就來就會發現自己精疲力竭。在東非桑給巴爾，波波瓦（Bopobawa）這種惡魔主要襲擊男人，而且通常是在密封的門裡展開侵襲。印度的Yakshini是美麗的女妖，具有使身體感官愉悅的力量，喜馬拉雅地區有居民稱曾與Yakshinis發生性行為。

莉莉絲
Aiwok, CC BY-SA 3.0

註1

曠野的走獸要和豺狼相遇；野山羊要與伴偶對叫。夜間的怪物必在那裡棲身，自找安歇之處。（繁體中文和合本）英文是「Wildcats shall meet with hyenas, goal-demons shall call to each othe ; there too Lilith shall repose, and find a place to rest .There shall the owl nast, and lay and hatch and brood to its shader.」

註2

譯文取自維基百科
https://zh.m.wikipedia.org/zh-hk/%E4%BE%BF%E8%A5%BF%E6%8B%89%E7%9A%84%E5%AD%97%E6%AF%8D

註3

根據學者研究，最早記錄莉莉絲的猶太經典是3到5世紀的《塔木德》（Babylonian Talmud），裡面把莉莉絲描述為夜間的怪物。

薩麥爾（Samael）

薩麥爾原是天使，在《塔木德》中，薩瑪爾是死亡天使和七個大天使之一。猶太傳說中，摩西死亡時，薩瑪爾前往迎接，因此猶太人眼中它相當於死神，專門取人靈魂。

希伯來文中，薩麥爾名字的含義為「被神垂聽」，公元1世紀後卻被改為「有毒的光輝使者」，因為「sam」在希伯來文意為「毒」。由於薩麥爾是比較神秘的天使之一，因此關於他是誰，以及如何由天使墮落成惡魔，有多個版本。

主流基督宗教視為偽經的《希臘文巴錄啟示錄》（Greek Apocalypse of Baruch）裡，薩麥爾是主要的邪惡角色。他種下知識樹（其實是薩麥爾種的葡萄樹），神詛咒這顆樹，禁止人類採吃，偏偏亞當吃了發酵的葡萄，等同喝了酒，而酒代表神的血，於是被上帝放逐和詛咒。由於這故事與撒旦引誘夏娃的結構相似，以至有些人誤會薩麥爾等同撒旦。

《以諾書》裡他是叛逆天使的一員，下降到大地與人類女子交配。在某些諾斯底教派傳說裡，物質世界的創造者確認薩麥爾作為邪惡之源，後來他更成為莉莉絲的伴侶，與之誕下眾多惡魔。

薩麥爾有時被形容為手持劍或弓箭的骷髏，或有翅膀的蛇；有時描述為持

著尖槍，立於地獄犬前頭，邊走邊散佈死亡。

薩麥爾
Gustave Doré, Public domain, via Wikimedia Commons

易卜劣斯（Iblis）

伊斯蘭教中的墮天使，原意為「邪惡者」，也稱作Al·Shaitan，意為那唯一的惡魔，乃由無煙之焰所創造。

《可蘭經》中，他有時是天使，有時則被視作「鎮尼」（邪靈）。由於神命令眾天使跪拜人祖阿丹（Adam），身為無煙之焰所出的易卜劣斯，看不起由黑泥捏製成的人類，無法接受自己下跪這種「低等生物」，因而背叛神。

上帝將易卜劣斯趕出天堂，對其懲罰卻推遲至審判日，到那一天，易卜劣斯將面對永恆的地獄之火。然而在那日來臨之前，它被允許誘使所有人作惡，真信徒除外。

從天使墮落為惡魔後，易卜劣斯第一個邪惡舉動，便是進入伊甸園（Eden Garden），誘使哈娃（Eve）吃掉了伊甸園樹的果，使阿丹和哈娃都喪失了天堂居民資格。這事跡誰都看得出，易卜劣斯大體上對應基督教的撒旦。

易卜劣斯也被稱為GodAduwAllāh（上帝的敵人）、al-Aduw（敵人），或者，當被描繪為誘惑者時，人稱它為al-shaytān（唯一的惡魔）。最令人疑惑的，它究竟算是天使還是鎮尼。因為天使由光所創造，沒有能力犯罪；而鎮尼是由火所創造，可以犯罪。

為了解釋此矛盾點,伊斯蘭神學家們提出各種解釋:一說易卜劣斯原是鎮尼,後來升天成為天使,它之所以升天,或因被天使俘虜並帶到天堂。二說指易卜劣斯是一個派送到地上與叛逆者戰鬥的天使,早在人類誕生之前,它已居住在地上。

易卜劣斯的女兒叫「拜札克」,副官叫「札拉布爾」(Zalambur)。它有五個兒子,分別代表五種罪行:

安沃(A›war)-「獨眼」及教唆人類荒淫的惡靈
查蘭布爾(Zalambur)-使人類爭吵不睦的惡靈
大悴(Dasim)-使夫婦彼此憎惡的惡靈
索特(Sut)-使人類說謊的惡靈
提爾(Tir)-「大鳥」,產生災害以及病疫的惡靈

末日審判前,易卜劣斯長居地獄,成為惡魔之王。仇恨人類的他,誓要引誘人類離開神。他率領手下惡魔沙丹(Shaitan)在人間活動,不斷行惡,包括引人犯罪及散播疾病。不過,沙丹只能在人類耳邊低語,作出邪惡的建議,卻沒有真正力量驅使人類做什麼,只能誘惑世人犯罪。

易卜劣斯（圖左）
Abū Jaʿfar Muḥammad ibn Jarīr al-Ṭabarī, Public domain, via
Wikimedia Commons

阿里曼（Ahriman）

阿里曼（Ahriman），又稱安格拉‧曼鈕（Angra Mainyu），是瑣羅亞斯德教（Zoroastrianism）創世神阿胡拉‧馬茲達（Ahura Mazda）的永恆對手。阿胡拉‧馬茲達屬於至善，阿里曼由「無限的時間」所生，是全惡的魔頭，世界之所以不完美，正是阿里曼存在之故。

阿里曼接近全能，與阿胡拉‧瑪茲達勢匀力敵，可能實力僅僅稍遜一籌。創世之初，阿里曼與阿胡拉‧瑪茲達展開一場驚天大戰，阿里曼不敵，被阿胡拉‧瑪茲達以咒語困鎖三千年，期間創造了世界，阿里曼則墮入黑暗深淵。

後來，阿里曼逐漸恢復力量，脫困後創造出病魔、毒蟲與兇獸，統率眾多惡魔與惡鬼，把邪惡帶到人世間，並與阿胡拉爭戰不休至今。

阿里曼的誕生故事尚有另一個版本。早期的瑣羅亞斯德教理，世上有兩種力量：生之力量和死之力量，生之力量名為斯朋塔‧曼紐（Spenta Mainyu），死之力量名為安格拉‧曼紐，祂們是孿生精靈，皆由阿胡拉‧瑪茲達於創世之初所造。阿胡拉‧瑪茲達賦予世上生靈自由意思，安格拉‧曼紐卻「選擇最惡之事物」藉以成為對立於阿胡拉‧瑪茲達的純惡邪神。他的真身型貌不明，但多以蛇、蜥蜴、青蛙等動物示人。

阿里曼手下眾多，計有死神阿斯圖‧維達特（Asto Vidatu），這死神會用套索套在活人頸上，人死後，善人頸上套索會鬆脫，壞人則被勒拖到地獄；另一手下是阿日‧達哈卡（Azi Dahaka），它是一隻巨大三頭龍，擁有三頭三口六眼，法術上千，極其高強。

此外，地獄惡魔德弗（Daeva）亦是阿里曼手下，成員包括Druj（謊言的象徵）、Naonhaithyeh（傲慢的象徵）、Sauru（混亂的製造者）、Aka Manah（邪惡的化身）、Nasu（腐爛的化身）、Apaosha（乾旱的化身）、Jahi（誘惑的女魔）以及艾什瑪Aesma（憤怒的惡魔），它們導致人類在道德上的缺陷，並將於來世摧毀、殺死和折磨邪惡的罪人靈魂。

值得一提的是，瑣羅亞斯德教的惡魔德弗（Daeva），在印度教被視為善神提婆（Deva）；而創世神阿胡拉（Ahura），在印度神話卻變為惡魔阿修羅（Asura）。這大抵是古時印歐民族融合與衝突的宗教轉移現象。

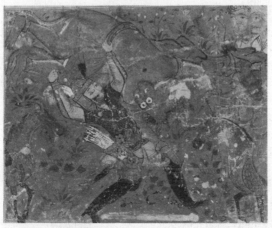

阿里曼
From the Shah Nameh, CC BY 4.0

羅睺（Rahu）與計都（Ketu）

古印度敘事詩《摩訶婆羅多》（Mahabarata）記載有一尊阿修羅——維修瓦巴胡（Vishwabaghu），他是達耶提耶王毗婆羅吉提與辛悉迦所生之子，既有行星、流星之王，西南方守護神之稱，亦是長有四隻手，下半身為龍尾，性格殘暴的惡魔。

這頭惡魔，不單兇猛，更是日食和月食的成因！

印度神話中，神祇也有生老病死。眾神所居住的世界聳立一座須彌山，高山被乳海所環繞。乳海裡蘊藏讓眾神長生不老的「不死甘露」。善神提婆（Deva）與惡神阿修羅鬥爭了上千年，為了這甘露卻暫時講和，雙方協議共同攪拌乳海，獲取海底的長生之水。

毗濕奴化身巨龜潛入海底，其他神魔將曼陀羅山壓在海龜背上，把巨蛇那伽纏在山腰，以山為攪棒，以蛇作攪繩，九十二個阿修羅持蛇頭，八十八個提婆持蛇尾，輪流撥動巨蛇身體，一起攪拌乳海。

經過千年的攪拌，不死甘露終於出現。眾阿修羅率先搶走意圖獨佔，毗濕奴立時以浪花變出無數飛天女神色誘阿修羅，眾提婆乘機奪回甘露。

當眾神享用甘露之際，唯一神志清醒的阿修羅正是維修瓦巴胡。維修瓦巴

胡喬裝成為提婆,混在眾神中間偷喝不死甘露,為太陽神蘇利亞和月神索瑪所發現,通知了毗濕奴。

毗濕奴施法砍下羅睺的頭,但維修瓦巴胡已喝下甘露,成為不死之身,但頭部和身體從此分離,頭部化為一顆黑暗之星,稱為羅睺(Rahu),下半身的龍尾則化為天際的彗星,稱為計都(Ketu),由於維修瓦巴胡是邪惡阿修羅,因此羅睺與計都皆被印度人視為不祥之星。為了報復太陽神與月神害得他身首分離,羅睺誓要吞噬太陽和月亮,這就是日食和月食的由來。

月球繞行地球的軌道稱為白道,而從地球觀察太陽一年中相對背景星空的軌跡稱為黃道。太陽和月球在天球上移動時的交點,亦即黃道和白道相交點,在北邊那一點稱為「月北交」,在南邊那一點稱為「月南交」,古印度分別稱為這兩點為「羅睺」和「計都」。太陽和月亮在節點處發生的日食和月食天文現象,衍生出惡魔吞食日月的神話。

在中國神話裡,羅睺與計都成為了「九曜」星君的成員,九曜星君計有太陽星君、太陰星君、金德星君、木德星君、水德星君、火德星君、土德星君、羅睺星君與計都星君。

羅睺
E. A. Rodrigues, Public domain, via Wikimedia Commons

計都
Arjuncm3, CC BY-SA 3.0, via Wikimedia Commons

阿修羅（Asura）

熟知日本動漫的朋友，對「阿修羅」（Asura）之名絕對不會陌生。這形象威武的好戰神魔，常以佛教造像形貌示人，但這魔神本身是印度教的神祇之一。

阿修羅，是擁有知識、魔力強大的惡魔，一心與眾神對抗。他們與天神堤婆不相伯仲，有時甚至更強，在神話裡，阿修羅與提婆的爭戰永無休止。

印度教經文中，他們被描述為強大的半神。早期吠陀文獻中，阿修羅善惡不定，善良的阿修羅被稱為Adityas，由Varuna領導，而邪惡的Asuras被稱為Danavas，由Vritra領導。《推提利耶梵書》（Taittiriya　Brahmana）說他們由「生主」（Prajapati）自一股「生氣」中所創造；《毗濕奴往世書》（Vishnu Purana）說阿修羅自梵天（Brahma）的大腿所生。

「阿修羅」此詞在《梨俱吠陀》中使用了大約105次，其中90處用於「Shobhan」（27種瑜伽之一），只有 15 處用於表示「眾神的敵人」。阿修羅的詞源是生命呼吸，充滿活力，吠陀時期也代表水神。在最早的吠陀文本阿耆尼（Agni）、因陀羅（Indra）和其他神也被稱為阿修羅，因為他們是各自領域、知識和能力的「領主」。在後吠陀文本裡，善神被稱為天王提婆（DEVAS），而邪惡的阿修羅抗衡這些天王，被認為是神的敵人。

魔界默示錄 惡魔傳說解密

為什麼有這種轉變？學者們對古代印度文獻中「阿修羅」的性質和演變存在分歧，他們研究印伊時代ahura / asura 和daeva / deva之間的關係。

原先，吠陀雅利安人和伊朗人（Parsis）的祖先，皆生活在同一個地方並崇拜同一神靈。雅利安人的兩個分支不知因何分裂。結果，吠陀雅利安人，採用這個新的派生詞 "Na Sur：Asura："，開始將Asura指稱為反神的惡魔，因此，瑣羅亞斯德教的至善神阿胡拉‧馬茲達（Ahura Mazda），在印度變成反派的阿修羅。

另一方面，伊朗人也使用 "dev" 這個詞表示惡魔，於是雅利安人的提婆（Deva），在瑣羅亞斯德教卻成為惡魔德弗（Daeva）。這種角色的對立，導致一些學者推斷，原始印歐社區可能發生過戰爭，他們的神和魔的演化，反映了族群的矛盾。

《薄伽梵歌》說，宇宙中眾生各自具有內在的神聖品質（daivi sampad）和惡魔品質

阿修羅
Eastern India, Bihar, probably Gaya district, Public domain

（asuri sampad），清淨如神的聖人固然很少見，而純粹如邪魔般的惡人也屬罕見，大部分人都是善惡交雜，或多或少有些缺點。人類擁有各種情感、慾望、厭惡、貪婪，都是日常生活所需，但倘若他們轉向仇恨、傲慢、自負、憤怒、苛刻、虛偽、殘忍這些破壞性的情緒，人類自然傾向轉變為惡魔（阿修羅）。

傳至佛教，吸納了印度原始宗教元素，阿修羅成為六道輪迴中的一道，號稱「非天」，性格易怒好鬥、驍勇善戰，常與忉利天人交戰。佛經記載，阿修羅男性貌醜陋、女性美貌、嗔怒心重、嫉妒心重，但也有不少阿修羅護持佛法，是天龍八部護法之一。佛教的阿修羅形象，大部分源自印度教，但也有些特性為佛教獨有。例如關於阿修羅的繁衍與誕生，《楞嚴經》便提到胎生、卵生、濕生、化生四種；又例如阿修羅的生命形態，不同經論的說法有所差異，有說他們是天眾，有說是鬼眾，甚或傍生（畜生）。但普遍把他們歸類為「六道」中的獨自一類（註1），即「阿修羅」道，生命層級比起人類高，較「天人」略低。但好戰的阿修羅戰力絲毫不差於天人，否則便不會與天人長期爭戰。

《法華經·序品》介紹了四大阿修羅王：
婆稚阿修羅王：婆稚，意為勇健，他是與帝釋天作戰的前軍統帥
佉羅騫馱阿修羅王：佉羅騫馱，意為吼聲如雷，亦名寬肩，因其兩肩寬闊，能使海水洶湧，嘯吼如雷鳴
毗摩質多羅阿修羅王：毗摩質多羅，意為花環，其形有九頭，每頭有千眼，九百九十手，八足，口中吐火
羅侯阿修羅王：羅侯，意為覆障，因其能以巨手覆障日月之光

每位阿修羅王都統領千萬名阿修羅，稱為阿修羅眾。佛經述及，男性阿修

羅相貌醜陋、女性阿修羅容顏美貌。這族群的生靈嗔怒、嫉妒心重、好爭
鬥，歷史上常與天人交戰，但屢戰屢敗，最後同意皈依三寶、並將修羅女
嫁給天人。為什麼阿修羅與天人會結下深仇大恨？故事是這樣的：

阿修羅界美女無數，偏偏缺少美食；天界好酒好食，卻沒有美女。兩界族
群互相憎嫉，故經常打個不亦樂乎。如果天界得勝，天人便侵入阿修羅宮
殿強搶婦女（多下賤的天神！）若阿修羅得勝，便會闖進天宮，奪去四種
天酒甘露。兩界的首領，還曾締結姻親，卻因此反目。

話說，阿修羅王娶了天界乾闥婆的女兒，不久其妻懷孕了。懷胎八千年
後，終於誕生下一女，容貌端正美麗，帝釋天一見傾情於是求婚，阿修羅
王高興地把女兒嫁給他。帝釋天替妻子賜號「悅意」。

一天，帝釋天在園中與眾多婇女嬉戲玩樂，悅意得知大發其醋，妒火中
燒，派夜叉向阿修羅王告狀。阿修羅王聞訊大怒，立率領大軍向天界進
攻。經過一場大戰後，阿修羅軍擊敗了帝釋天。

帝釋天狼狽逃命。逃跑中遇到一位天人，對方提醒說，帝釋天是佛陀弟
子，只要念般若波羅蜜咒，不是能渡過厄難嗎？一言驚醒，帝釋天依言念
咒，空中忽現四把大輪刀，追著阿修羅王將其耳、鼻、手、足全砍掉，殘
肢掉入海裡，染得海水殷紅。阿修羅王驚怒不已，唯有鑽進蓮藕的孔中藏
身。

天人與阿修羅的戰爭就這樣斷斷續續進行。多年後，帝釋天又愛上阿修羅
王的另一個女兒，便派樂神前去提親。阿修羅王餘怒未息，忍無可忍下再
發兵進攻。就在快將攻陷天宮之際，帝釋天再念誦咒語，把阿修羅軍殺得

落荒而逃，阿修羅王只得再鑽入蓮藕孔中躲藏。

攻入阿修羅城後，帝釋天見城中美女如雲，就將阿修羅女全部擄走。阿修羅王派使者前往天界交涉，指出帝釋天身為佛弟子，竟犯戒偷盜、強搶婦女。帝釋天自覺理虧，於是答應歸還俘虜，並贈送甘露作為回報；阿修羅王也將愛女獻給帝釋天，並自願皈依佛陀（註2）。

就這樣，印歐人古時的一尊神祇，經歷種種緣由，變為惡魔，及後再成為了佛教護法，身世堪稱曲折離奇。

吳哥窟「攪拌乳海」淺浮雕中描繪的阿修羅
Olaf Tausch, CC BY 3.0, via Wikimedia Commons

註1

《大智度論》:「問曰:阿修羅即為五道所攝。是阿修羅非天非人,地獄苦多畜生形異,如是應鬼道所攝。答曰:不然。阿修羅力與三十三天等。何以故?或為諸天所破,或時能破諸天。如經中說,釋提桓因為阿修羅所破。四種兵眾入藕根孔以自藏翳,受五欲樂與天相似,為佛弟子。如是威力,何得餓鬼所攝?以是故應有六道。復次如阿修羅甄陀羅乾沓婆鳩槃荼夜叉羅剎浮陀等大神,是天、阿修羅民眾,受樂小減諸天,威德變化隨意所作。是故人疑言,是修羅非修羅。修羅秦言大也。說者言:是阿修羅非修羅。阿修羅道初得名,餘者皆同一道。問曰:經說有五道,云何言六道?答曰:佛去久經流遠,法傳五百年後,多有別異,部部不同,或言五道,或言六道。若說五者,於佛經迴文說五。若說六者,於佛經迴文說六。又摩訶衍中,法華經說有六趣眾生。觀諸義旨,應有六道。復次分別善惡,故有六道。善有上中下故,有三善道天人阿修羅。惡有上中下故,地獄畜生餓鬼道。若不爾者惡有三果報,而善有二果,是事相違,若有六道於義無違。問曰:若龍王金翅鳥,力勢雖大猶為畜生道攝。阿修羅亦應餓鬼道攝。何以更作六道?答曰:是龍王金翅鳥雖復受樂,傍行形同畜生故畜生道攝。地獄餓鬼形雖似人,以其大苦故不入人道。阿修羅力勢既大,形似人天故,別立六道是為略說。」

註2

法華義疏二曰:「問:何故常與帝釋戰?答:婆沙云:修羅有美女而無好食,諸天有好食而無美女。互相憎嫉,故恒鬥戰也。」法華玄贊六曰:「若天得勝,便入非天宮中,為奪其女,起此鬥諍。若非天得勝,即入天宮,為求四種蘇陀味故,共相戰諍。」長阿含經二十曰:「有大阿修羅王名羅呵(R　hu),感二萬八千里大身,住須彌山北大海底,見切利日月等諸天行我頭上,大瞋,興兵大戰。」觀佛三昧經一曰:「有阿修羅王名毘摩質多,有九頭,每頭有千眼,九百九十九手,八腳,口中吐火。有女端正無比,帝釋請為妻,名悅意。後由天帝與他婇女遊戲園中,悅意起妒心,以告父。毘摩質多為女興兵攻天帝。」譬喻經下曰:「有阿修羅王名羅　羅,生一女,端正無比。帝釋厚幣求之,若不與,則以兵取。阿修羅聞之大怒,興兵大戰。後講和,阿修羅以女納於帝釋,帝釋以甘露報之。」

羅波那（Ravana）

印度神話中有一個強大的王，他擁有十個頭二十隻手，統治楞伽島。這位王者是有能力的統治者，更是破壞神濕婆的信徒，他熟讀《吠陀》和《奧義書》等經典，不僅通曉軍事，連藝術也有相當造詣，能彈奏維納琴。這王者便是印度史詩《羅摩衍那》（Ramayana）提到的魔王羅波那（Ravana）。

「太陽不敢照射他，風不敢吹到他身旁，波濤洶湧的大海，見到他也不敢動彈」，這是詩歌對羅波那的形容。羅波那的名字帶有「以暴力讓人痛泣」的含意，他神力強橫，得力於年輕時修行的一段經歷。

身為濕婆的忠心追隨者，羅波那進行了一番激烈苦行，又向創造神梵天祈求更強大的力量，希望藉此成為最強大的王，奈何梵天無動於衷。因為梵天無視自己，羅波那心生憤怒，一怒之下竟把自己的頭割下來！可是奇蹟此時出現，剛砍頭的部位，竟然立刻長出新的頭顱出來。如此羅波那反覆斬頭十次，梵天終於坐不住顯現。

羅波那向梵天要求不朽之軀，梵天沒答應；羅波那要求天下無敵，梵天終是答允了，於是在羅波那肚臍注入不死甘露，從此不管神、魔、獸都無法傷他分毫，授予他強大的武器和無盡的知識，還把全部割下來的頭重新駁回頸上，羅波那遂成為「十頭魔王」。

得到「無敵之軀」的羅波那，帶著軍隊到楞伽島，威脅同父異母的兄長俱吠羅，揚言以武力奪取其政權，俱吠羅選擇退位離去。羅波那成為楞伽島之王，楞伽島在其治下富裕無比，島民豐衣足食。值得一提的是，楞伽（Lanka），意為羅剎之都，所以羅波那並非普通意義的王，而是羅剎魔王。

過了一段時間，羅波那自覺不怕任何神魔傷害，開始騷擾搶掠天界，眾神為此請求毗濕奴出手。由於梵天許諾，所有神靈、夜叉、羅剎均不能殺死羅波那，卻漏提了凡人，偏偏羅波那輕蔑凡人，沒把這點放在心上，所以凡人成為唯一能殺死他的生靈。毗濕奴心生一計，轉生為十車國的四位王子，那四位王子都是毗濕奴的化身，而其中羅摩繼承最多神格力量，為除掉羅波那埋下伏筆。

話說羅摩人格高尚，外型俊俏，羅波那的妹妹首哩薄那迦（Surpanakha）對之十分傾心，設法引誘，但羅摩只忠於妻子，女魔便向兄長哭訴，指使哥哥綁架羅摩的妻子悉多。羅摩營救妻子途中，得神猴哈奴曼之助，發現悉多被囚禁在魔王羅波那的宮殿裡。於是羅摩率領猴子大軍來到大海對岸，設法渡海攻入魔宮。

羅波那的弟弟康巴哈那（Kumbhakarna）和維毗沙納（Vibhisana）都勸兄長交還悉多，但遭羅波那拒絕。作為宰相的維毗沙納更因此被逐出楞伽島，選擇投奔羅摩。後來羅摩得海神之助，建造跨海大橋，猴子大軍渡海把羅波那宮殿包圍。經過一番激烈戰鬥，羅摩受了重傷，幸得哈奴曼採集仙草為其療傷。

最終羅摩用天帝因陀羅賜予的飛鏢殺死羅波那，與妻子悉多團聚，凱旋回

國。雖然全靠羅摩這「凡人」才能殺掉魔王，但神話中羅摩是毗濕奴的化身，因此這場戰鬥可謂另一種形式的神魔大戰。

羅波那
Salil Kumar Mukherjee, CC BY-SA 4.0, via Wikimedia Commons

羅剎（Rākṣasa）

羅剎（Rākṣasa）是印度教、佛教和耆那教中的惡魔。羅剎也被稱為「食人者」（nri-chakshas, kravyads），華文又作羅剎娑、羅叉娑、羅乞察娑、阿落剎娑等。

《梨俱吠陀》說，羅剎和夜叉是由「生主」（Prajapati）的兩隻腳的腳趾所生。羅剎一被創造出來，已非常嗜血，以至於他們竟然開始吃梵天。梵天大喊「羅剎！」（梵文意思是「保護我！」），毗濕奴趕緊幫忙，將所有這些嗜血魔怪驅逐。於是，這種魔物就以「羅剎」（梵天呼救時的呼聲）來命名。

羅剎是夜間活動的怪物，性格卑鄙，會像野獸一樣咆哮，喜歡侵襲人類，可以聞到人肉的氣味。祂們被形容為兇猛而巨大的生物，嘴上長著兩顆獠牙，其爪鋒利無比。一般來說，他們空中疾飛，或地面速行、隱身，並隨意改變大小和外型，有些記載說他們像貓頭鷹、兀鷲或狼。

男性羅剎，性情暴戾，膚色黝黑，紅髮

羅剎
By Mr.Manohara Upadhya. Uploaded by Gnanapiti, CC BY-SA 3.0, via Wikimedia Commons

綠眼，形貌可怖，會用手掌或人類頭骨喝血（類似西方吸血鬼的表現）；
相反羅剎女，都是絕色美女，有攝人魅力，卻專食人的血肉。羅剎女雖然
美麗，卻象徵著破壞、不幸、災禍，被視同死亡之后（梵語：Mṛtyu）。
有時人們卻當她疾病、危險、恐怖之神婆耶（梵語：Bhaya）或「地獄之
母」。

印尼塞烏寺入口之一的羅剎雕像
Photo by Isidore Kinsbergen, 1865, Public domain.

在《羅摩衍那》和《摩訶婆羅多》的神話世界裡，羅剎是一個人口眾多的種族。羅剎有善有惡，他們是強大的戰士、魔法師及變形者，可以幻變為出不同外型。創造出虛假的現象。有理論云，羅剎或是印度原土著之稱呼，雅利安人征服印度後，遂成為惡人之代名詞，慢慢演變為惡魔之意。

傳至佛教，羅剎成為惡鬼的通名（註1）。佛書載有八大羅剎女，十大羅剎女，七十二羅剎女，五百羅剎女等等。有時羅剎會擔當地獄獄卒，負責對罪人施以酷刑。《大智度論》說，「惡羅剎獄卒鬼匠，常以黑熱鐵繩，抨度罪人」、「羅剎以大鐵錐錐諸罪人」。另外，相傳羅剎女國位於楞伽島（註2）。

羅剎女性喜吃小孩，佛教裡有一佛陀度化羅剎女的故事值得一看。相傳一群慘遭羅剎女抓走孩子的父母，向佛陀哭訴求援。慈悲的佛陀為解救眾生苦難，便設法度化羅剎女。

羅剎女有十二個孩子，最疼愛的叫麼兒，佛陀運用神通將那麼兒藏於缽中。羅剎女得悉孩子被帶走，趕緊跑到精舍向佛陀要人。佛陀反問她，過往吃掉無數別人的兒女，今天孩子正好為她填命，既有十二個孩子，少一個又有何關係呢？

羅剎女慟哭哀求道：「我雖有十二個兒女，可是每個孩子都是唯一的，十指連心，少了一根，都令我無比傷痛。慈悲的佛陀，你別把我兒子交給村民，他才三歲，不能承受任何傷害呀！」

佛陀訓誨她，自己有十二個兒女，失去一個已痛不欲生，但可有想過人家孩子被吞噬，他們父母何等傷痛？既然羅剎女如此自私，理應接受懲罰。

佛陀讓缽中小孩傳出哭喊母親的聲音。羅剎女聽到號哭，心如刀割，向佛陀懺悔，承諾從此不再吞吃人類小孩。然而她不免憂慮今後生活。佛陀於是囑咐弟子，持咒於米飯供養羅剎女及其子女，讓她們不至受飢餓之苦。從此，羅剎女變成保護天下兒女的母親，人稱「鬼子母」。

註1
唐朝慧琳《一切經音義》：「羅剎，此云惡鬼也，食人血肉，或飛空或地行，捷疾可畏也。」

註2
丁福保《佛學大辭典》：「五百羅剎女，今之錫蘭島，往昔為五百羅剎鬼女所住處。錫蘭島即今天的斯里蘭卡。」

註3
此羅剎女的故事出自星雲法師講述。

魔羅（Māra）

佛陀於菩提樹下悟道時，有一魔頭前去諸般迷惑佛陀，這頭魔便是「魔羅」（Māra）。祂可能是印度原住民的神祇，後來被雅利安人視為惡魔。

在佛教宇宙觀中，魔羅與死亡、重生和慾望有關，具迷惑人心的能力。他出沒於娑婆世界，一意守護眾生慾望與激情，擅以猶豫和恐懼為催化劑，阻礙佛教徒冥想修行，可謂專職向「啟蒙力量」拖後腿的化身。

阻撓解脫

Mara的字面意思是「死亡」，出於在巴利文典籍中，算是半神半魔的存在。在佛陀得道前後，魔羅現身許多僧尼面前，意圖使他們懷疑自己的行為，藉以打斷他們修煉。修行者遇上並驅除魔羅的故事，在《巴利三藏》佔據一章，並經常出現在其他經集中，乃至大乘經典。

為欲界眾生帶來影響，是魔羅的力量展現。他不僅可以隨心所欲地召喚其他惡魔，還可以將男人和女人變成工具，以及變身來偽裝自己。他可以化為你討厭或所愛、害怕或信任的人，並以朋友或敵人身份傳遞虛假信息，扭曲你的想法。憑藉巧妙謊言和歪曲事實，他成功地將貪婪、慾望、憤怒、嫉妒、困惑、恐懼和沮喪填滿人的心靈。魔羅之所作所為，都是為了促使人積累惡業，使他們無法打破業力輪迴，難以脫離欲界，一直在他的魔掌下存活。

史詩《佛所行讚》（Buddhacharita）及《佛說普曜經》（Lalitavistara）記載了悉達多（未成佛的佛陀）涅槃前，魔羅現身試圖勸阻悉達多不要尋求解脫。

與佛對決

魔羅察覺悉達多即將衝破欲界的束縛，獲得清淨無量的知識，將以此幫助他人證悟，於是企圖擾亂悉達多的禪定。他見到即將成佛的悉達多坐在菩提樹下，幾乎要餓死了，但內心充滿平靜。魔羅開始在佛陀耳邊低語，誘使他建立偉大王國，以榮耀和改善世人。悉達多心知這些耳語空洞虛幻，不予理會。接著，摩羅斥責佛陀放棄了他的宗教、社會階層，甚至他作為父親和丈夫的身份。佛陀同樣對這些言論不屑一顧。

馬來西亞的緬甸壁畫描繪魔羅試圖誘惑佛陀
Hintha, CC BY-SA 3.0, via Wikimedia Commons

眼看詭計無法得逞，魔羅決定召集盟友。他召喚了一支可怕的惡魔軍隊，向正在休息的悉達多發射漫天箭雨。這箭是慾念之箭，箭頭為花尖狀，可

使人失去瑜伽戒律並屈服於色欲。箭矢疾馳而來，悉達多卻不退縮，就在快要中箭之前，箭矢化為花朵，灑落在四周。佛陀隨後向大地求助，以洪水沖走惡魔大軍。

強攻不行，魔羅決定派遣女兒去色誘悉達多，以破壞其對證悟的決意。他的三個女兒名為Tanh（代表渴求）、Arati（代表瞋恨、不滿）和Raga（代表執著、慾望、貪婪、激情），三女魔在悉達多面前翩翩起舞，百般誘惑望把佛陀拉回欲界。然而，悉達多未受到任何影響。南傳上座部佛教《相應部》（Samyutta Nikāya）記曰：

她們來到他的身邊，散發著美麗的光芒——
Tanhā、Arati 和 Rāga——
但是，老師就在那裡把他們掃走了
隨風飄落，一束棉絮飄落。

魔羅驅走女兒，並進行最後一次攻勢。他開始嘲笑悉達多，告訴他一切意圖開悟的努力皆將徒勞，因為沒有人在場見證這一成就。作為回應，悉達多一隻手放在地球上，宣稱地球本身將成為其見證。大地震動了起來，魔羅自知失敗了，一怒之下飛走離去。

華文裡的「魔」字，正正譯自梵語的Māra，是魔羅的略稱（註1）。中華佛教認為魔「能奪命，障礙，擾亂，破壞」。古時華文用「磨」字來翻譯魔羅，到梁武帝時，梁武帝認為「字宜從鬼」，就將「磨」改為「魔」了（註2）。因為魔能奪人慧命，擾亂身心，阻撓行善，破壞人修行，所以稱為魔。

魔羅的源流

魔羅的概念和名字均非佛教所發明。佛教出現以前，吠陀時期的印度教已有一個同名的神，代表性和死亡。在吠陀婆羅門神話、耆那教神話裡，都可以找到與之相應的神。

Māra是一個梵文詞，意思是「死亡」或代表死亡化身。印度教某些派系裡，魔羅是死亡女神，信徒會放供品到她的祭壇上。儘管不那麼受熱門，但印度確實存在一些崇拜她的教派。

拉脫維亞神話裡也有魔羅，她可是最高級別的女神，象徵的是大地，與之對應的是Dievs。她可能是Dievs的另一面，就像華夏的陰陽概念。

在巴基斯坦斯瓦特山谷發現的魔羅浮雕碎片
By Under the Bo - Own work, CC BY-SA 3.0, via Wikimedla

另外，原始斯拉夫語、古德語、古挪威語和瑞典言都有Mara，日耳曼和斯拉夫民間傳說裡，這種Mara會侵入睡眠，為人帶來噩夢。有些學者將這詞追溯到原始印歐語，與粉碎、壓制、壓迫、傷害有關，也有人認為它來自希臘語，意思是厄運。關於這詞的起源時間，學者們沒有明確答案。有一種說法指，原始斯拉夫語詞根「mara」不遲於公元前 1 世紀傳入日耳曼語。這些民族的Mara與印度教及其衍生的佛教「魔羅」有沒有血源關係，也許只有天（或魔）曉得了。

註1
《大乘法苑義林章》：「梵云魔羅，此云擾亂障礙破壞。擾亂身心障礙善法破壞勝事，故名魔羅，此略云魔。」

註2
也有學者詳細考據，「魔」字翻譯佛經早於梁武帝前，所以此說並不成立（顧滿林：<梁武帝改「磨」作「魔」之說考辨>）。本文姑且從主流說法。

波旬（Pāpīyas / Pāpman）

佛教宇宙觀，有「三界六道」之說，三界即欲界、色界和無色界，界域裡居民的生命層次不同，以欲界為最低。其中欲界有「六天」，分別是四天王天、忉利天、夜魔天、兜率陀天、化樂天、他化自在天。最上面一層的他化自在天，為欲界之第六天，這一領域有個魔天，其首領名為波旬（梵語pāpīyas或Pāpman）。

波旬既是他化自在天主（巴利文：Paranimmitavasavatti，音譯婆羅維摩婆奢跋提），也是欲界的把關魔王。他愛下凡到世間遊戲變化，以世人的欲樂，為己身的快樂泉源，為了永久擁有這種欲樂能量，他致力於讓世人沉溺在欲樂中，最不喜歡見到修行人，因修行人每自絕於欲樂。因此波旬以誘惑、脅迫等方法阻撓修行之士，使他們起「退轉心」而不再精進，藉以破壞佛教。

據《阿含經》所載，波旬頻頻騷擾佛陀修行，無論獨處、臥息、禪坐、乞食，為比丘說法，均見波旬之身影。波旬還出現於佛弟子跟前，有時化身為佛菩薩、僧人、居士的模樣去歪曲佛法，有時甚至與魔眾化身美女去媚惑眾生，引人走上歧途。他麾下擁有魔眷屬、魔子、魔女、魔民，魔眾在波旬領導下，到處滋擾世人修行，此所以為魔。

關於波旬的真正身份，有兩種說法。一說，正如前述，他是「他化自在天」之主，如《太子瑞應本起經》記載，魔王波旬就是欲界第六天的天王。二說，波旬居所另有所在，他並非「他化自在天」之主，如《長阿含起世經》記載，天魔宮殿的正確位置介於「他化自在天」與「梵天」之間，屬於另一個空間，所以波旬不是他化自在天的掌權天王。

有時，世人視他與「魔羅」為同一實體，合稱為「魔波旬」（梵文：Māra-pāpman）。波旬生平的部分事跡，基本上和魔羅無異，如《雜阿含經》裡，波旬派三個女兒特利悉那（愛欲）、羅蒂（樂欲）、羅伽（貪慾）到佛陀面前進行獻媚挑逗，但悉達多禪心寂定，對種種淫相視若無睹，更訓斥諸女，說她們形相雖好，心不端正，好比琉璃瓶盛載糞穢，不自知恥，竟敢來誑惑人？魔女聽到自慚形穢，匍匐遁走。波旬見「美人計」色誘不成，便帶毒蟲毒雷毒箭進襲，威脅悉達多若不回皇宮享受榮華富貴，便會死在菩提樹下，但佛陀不為所動，魔王無功而返。這些故事情節，大抵和魔羅一樣。

魔王波旬攻擊佛陀和佛弟子。出自葛飾北齋畫作《釋迦御一代圖會》。
Katsushika Hokusai, Public domain, via Wikimedia Commons

但華文翻譯的佛經所記載的波旬事跡，較魔羅更為豐富。除了《阿含經》，如《愣嚴經》、《佛本行集經》、《大品般若經》等典籍均見到魔王破壞佛法的諸般事跡。而且，關於波旬的真正立場和最終下場，似與魔羅頗有差異：

擾亂佛教

正所謂「堡壘從內部擊破」，波旬也擅長此法。佛陀曾告訴迦葉：「我進入般涅槃七百年後，魔王波旬會逐漸破壞我的正法，如同獵人卻穿著法師的衣服。魔王波旬也是如此，裝作比丘、比丘尼、優婆塞、優婆夷的樣子，也能化作須陀洹身，甚至化作阿羅漢身及佛的色身。魔王用此有漏的外形裝作無漏之身壞我正法。（註1）

鑽入尊者肚中

有一次佛陀住在鹿野園林中，弟子目犍連尊者想為佛陀作一個窟穴，便於空地通行處讓人開鑿。

波旬又欲使用詭計，以神通將自身變得極微小，遁入目犍連腹中。目犍連即時察覺，暗想：「為何肚子會突然變重，猶如食豆大小一般？我要以禪定之力來觀察己腹。」於是走到一旁結跏趺坐。

目犍連馬上發現是波旬在鬧事，嚴厲地警告他：「波旬，快點出來！千萬不要騷擾如來及如來弟子，否則你必將於長夜遭受無量痛苦。這種愚蠢的惡行對你自己一點好處都沒有。」

波旬大驚，心想：「就連世尊及其他弟子都不能馬上發覺是我，怎麼這個目犍連如此厲害？」於是立即從目犍連的口中飛出來。（註2）

兒女勸阻

悉達多太子在菩提樹下將要成佛時，波旬前來搗亂。但他的長子卻不以為然，欲加勸阻。

波旬長子商主對父王說：父王您這麼做，兒子心裡不快樂，因為您現在和悉達多菩薩作對，恐怕將來後悔都來不及啊！

魔王波旬說：你這小孩子懂什麼，你不知道我神通變化的大威力！

商主說：我並非不知道父王的神通威力，只是父王還不知道悉達多菩薩的神通德力更是厲害啊！（註3）

波旬不聽勸告，堅持召集魔兵魔眾，整裝待命。

波旬有一千個兒子，站在菩薩一邊的有五百個，以長子商主為首，坐在魔王右邊；站在魔王一邊的也有五百個，以次子惡口為首，坐在魔王左邊。魔王說：我召集你們過來，是想聽聽你們有什麼好辦法對付菩薩。助菩薩的五百兒子說菩薩有大威德力，勸父王不要與菩薩作對，助魔王的五百兒子則給父王出謀劃策，怎麼對付菩薩。

長子商主說：我不希望父王與悉達多太子為敵，因為即使百千萬億魔眾也不可能戰勝菩薩的。

可是魔王不聽勸告，仍然讓自己的女兒們以情慾去誘惑菩薩。諸魔女來到菩薩身邊，搔首弄姿，極盡挑逗之能事...

菩薩心如須彌，不搖不動，根本不受魔女們的迷幻誘惑，並給諸魔女說法，諸魔女心生慚愧羞恥，頂禮菩薩足下，退回魔宮，勸父王不要與悉達多太子為敵。可是，魔王波旬也不聽女兒們的勸。（註4）

波旬來到菩提樹下對菩薩說：你在這裡求什麼？這個地方很危險，有諸多惡龍、野獸、盜賊出沒，你不害怕嗎？菩薩說：我為求寂滅涅槃，無所畏懼。波旬拔出利劍，衝向菩薩說：你如果不從此座中起來，我就殺了你！長子商主見此情形，馬上用手抱住魔王說：父王，千萬不要這麼做啊，您不但傷害不了悉達多太子，還會造下無量無邊的罪業啊。魔王哪裡肯聽，仍然向菩薩衝去。無論魔王和魔軍以什麼方法，都無法傷害菩薩一髮一毫，菩薩終以大威德力擊潰降伏魔軍。（註5）

最後波旬兵敗如山倒。商主看到父王落敗，即到菩提樹下頂禮菩薩，乞求懺悔：我的父親愚痴固執，不聽我的勸告，前來惱亂菩薩，但願菩薩您能寬恕原諒他，祝願菩薩迅速證得無上正等正覺！（註6）

教化眾生

少數經典為魔王辯白，說波旬其實是一位菩薩，他之所以不斷搞破壞，目的其實是教化眾生，因此才扮作魔王。（註7）

最終成佛

為什麼波旬如此壞心腸，卻可以當上他化自在天的天主？原來，他因為過去供養過辟支佛一缽飯，憑此功德才成為六欲天主（註8）。《大悲經・商主品第二》指出，魔王波旬命終時五衰相現前，十分驚懼，將直接墮入地獄最底層的阿鼻地獄（無間地獄）。他在地獄中沉痛懺悔，經歷無量大劫的時間，出地獄後便上升到忉利天（由忉利天主帝釋天管轄），終於偕

眷屬皈依並修持佛法而得度，他及眷屬將來可得成佛，時間是在未來的清淨安立世界，佛號「妙住得法光如來」（註9）。

他化自在天的天主

註1

《大般涅槃經》：佛告迦葉：“我般涅槃七百歲後，是魔波旬漸當沮壞我之正法。譬如獵師，身服法衣；魔王波旬亦複如是，作比丘像、比丘尼像、優婆塞像、優婆夷像，亦複化作須陀洹身，乃至化作阿羅漢身及佛色身。魔王以此有漏之形，作無漏身，壞我正法。

註2

此故事出自北傳阿含部《佛說魔嬈亂經》

註3

北傳《佛本行經》：

爾時魔王長子商主。白其父王魔波旬言。父王如是。子心不樂。何以故。而今父王。欲共悉達菩薩大士而作怨仇。唯恐後時。父王內心。悔無所及。作是語已。時魔波旬。告子商主。作如是言。咄汝小兒。愚闇淺短未曾知我變化神通。未曾睹我自在威力。

爾時商主。白其父言。父王當知。我非父王愚痴之兒。亦非不知父王神通威力自在。但父王今未知悉達菩薩神通。未見悉達菩薩德力。其事雖然。但願父王。至於彼邊。應當自見應當自知彼之神通。

註4

爾時魔王波旬。不取長子商主咨諫。告其諸女。作如是言。汝等諸女。各各相共聽用我言。汝宜至彼釋種子邊。試觀其心。有欲情不。其諸魔女。聽父敕已。相與安庠向菩薩所。到彼處已。去離菩薩。不近不遠。示現種種婦女媚惑謅曲之事。

爾時波旬諸魔女等。力既不能幻惑菩薩。心生愧恥。各自羞慚。相與曲躬。禮菩薩足。圍繞三匝。辭退而行。安庠還向魔波旬邊。到已即白父如是言。父王。不應舉意向於彼眾生所造作怨仇。何以故。我等昔來不曾見有如是眾生。在欲界中。作是姿態媚惑之事。顯示於彼。不暫移動。又復我等作欲事時。必得枯乾一切人意。猶如早時諸草木等。必今焦滅。猶如春時酥置日下自然融消。今此丈夫。何緣獨爾。是故父王。唯願莫共彼作怨仇。

時魔波旬。不納長子商主勸言。亦復不受己之諸女咨諫之語。

註5

波旬調集魔兵，準備殺死悉達多。是時魔王長子商主。即以兩手。抱魔王取。口如是言。父王父王。願莫願莫。父王會自不能得殺悉達釋子。亦不能動此之坐處。兼得無量無邊過罪。時魔波旬。不受其子商主之諫。向菩薩走。不肯還反。

註6

爾時魔王波旬長子。名曰商主。即以頭頂禮菩薩足。乞求懺悔。口唱是言。大善聖子。願聽我父發露辭謝。凡愚淺短。猶如小兒。無有智慧。我今忽來惱亂聖子。將諸魔眾。現種種相恐怖聖子。我於已前。曾咨父言。以忠正心。雖有智人善解諸術。猶尚不能降伏於彼悉達太子。況復我等。但願聖子。忍見我父。我父無智。不識道理。如是恐怖大聖王子。當何取生。大聖王子。願仁所請。早獲成就速證阿耨多羅三藐三菩提。

註7

《維摩詰經》：爾時，維摩詰語大迦葉：「仁者！十方無量阿僧祇世界中作魔王者，多是住不可思議解脫菩薩，以方便力故，教化眾生，現作魔王。」

註8

《雜寶藏經》：「汝於前身，但曾作一寺，受一日八戒，施辟支佛一缽之食，故生六天，為大魔王。」

註9

《大集大虛空藏菩薩所問經》卷第七中的一段，我們可以看到佛陀懸記魔王波旬將在未來「清淨劫」的清淨安立世界成就佛果，名為「妙住得法光佛」。

爾時具壽阿難陀白佛世尊：經於幾時。此魔當成無上菩提。得菩提已佛及世界名為何等。佛告阿難陀：此魔波旬。當於來世十千佛所。為作魔事。……復更過於四萬阿僧祇劫。當得成於阿耨多羅三藐三菩提。名為妙住得法光如來應供正遍知明行足善逝世間解無上士調御丈夫天人師佛世尊。世界名清淨安立。劫名清淨。

五帝大魔與八方大魔

在道教的世界觀裡，魔有兩類，一種是平常的妖魔，另一種是天魔。

天魔除了名堂夠響亮外，其能力、地位亦不可小覷。道教有一個概念，叫
「魔試」或「魔考」，顧名思義就是魔的考試。原來，但凡學道、修仙之
士，修煉的過程中，難免遇到各種考驗，而考核他們的考官，並非各路仙
人，而是「魔」。修真之士需通過兩次魔試，若能通過便可得到魔王的保
薦推舉，上登仙品，之後可以無所拘束出入天門（註1）。

五帝大魔的地位、名諱和能力

大體上，能肩負修仙監考官的，都屬魔王級，他們當中，有名號為「五帝
大魔」的魔王，不僅地位極高，居於萬神之首，總領一眾鬼兵，非常威
風。他們還自詡功德與諸天神看齊（註2）。

五帝大魔

五帝大魔又稱五天大魔。不同的道藏經典，對此五尊魔的名號說法不一。

青天魔王：名為巴元醜伯。他青面赤髮，總領「九醜」之鬼，可耗人肝
氣，使人喜怒無常。

赤天魔王：名為負天擔石。他身負一種元氣，能夠撐著天地，其力量足可摧山。他能夠耗人心氣，使人變得強蠻暴燥。

白天魔王：名為反山六目。他一頭六眼，其力可破開山岳，於三界之間隨意游行。他喜歡隱沒世人的善行功德，耗人肺氣，令人放肆飲食不加節制。

黑天魔王：名為監醜朗馥。他形貌猙獰兇惡，率領一眾小醜之鬼，性格喜好殺伐。他會耗人腎氣，使人喜好殺生。

黃天魔王：名為橫天擔刃。他常乘坐羽車，在三界之間橫行，四處造謠唱歌，擾亂修道人的信念。他會耗人脾氣，使人遭逢災禍疾病。（註3）

有些典籍稱他們為「五天大魔王」，所記載的魔王名諱與前述的五帝大魔有所不同，但「掌管」（主）的範疇相同（註4）：

青天魔王：姓賦，諱齒成巳，主巴元醜伯。
赤天魔王：姓弗，諱申蕭，主負天擔石。
白天魔王：姓赫，諱上栢，主反山六目。
黑天魔王：姓鄧，諱呼倪，主監醜朗馥。
黃天魔王：姓梟，諱公孫，主橫天擔力。

道教經典《靈寶無量度人上經大法卷之二十八》對五帝大魔王及五天大魔王的名諱另有一套說法：

五天大魔王

青天魔王：姓賦，諱齒成巴。

赤天魔王：姓佛，諱由菁勢。

白天魔王：姓赤，諱張布。

黑天魔王：姓徐，諱直事。

黃天魔王：姓天行，諱波。

五帝大魔王

青帝大魔王：姓迫落，諱萬刑。

赤帝大魔王：姓赭，諱上栢

白帝大魔王：姓鄧，諱吁：

黑帝大魔王：姓梟，諱公孫。

黃帝大魔王：姓宛射，諱產生。

八方大魔王

無論是五帝大魔抑或五天大魔，均以青、赤、白、黑、黃五種「顏色」來分配，恰恰代表木、火、金、水、土五行。道教另有「八方大魔王」之說，在五帝以外增加「浩帝」、「昊帝」和「倉帝」，八帝分別掌管東、西、南、北、西北、東南、東北、西南，他們皆與鬼域同生，魔下官屬數以萬計，出行飛天遁地，都有鬼兵相隨。他們悉力試敗學仙之人，令修道者不得成仙。《上清高上金元羽章玉清隱書經》詳細描述了八方大魔王的名諱、形相與特徵：

東方青帝大魔王：姓迫落，名萬形。他頭戴橫天之冠，穿著青羽之裘或絳章單衣，腰間繫上青綬虎頭肇囊。他帶領官屬共九千人，住在東方安大堂鄉納善之世。他可化為青赤二色之光，常在春分乘坐青輪羽車，在雲中飛

行，於五岳遊宴，試圖擊敗所有學仙之人。

西方白帝大魔王：姓鄧，名兒呼。他頭戴橫天素冠，穿白羽之裘或皂紋單衣，腰間繫上素靈之綬五色虎頭肇囊。他有時會化身老婦，頸圍白巾，手執金板。他可化為紫蒼二色之光，率領官屬七千人，住在西極福堂州盛行之世。常於秋分乘坐白輪羽車，在雲中飛行，於五岳遊宴，試圖擊敗所有學仙之人。

南方赤帝大魔王：姓赭，名上桓。他頭戴橫天朱冠，穿青羽之裘或黃羅之衣，腰間繫上丹靈之綬虎頭肇囊。赤帝有時以人頭鳥身形象出現，身如鳳凰，也可化為玄黃二色之光。他領官屬八千人，住在宛梨城境棄賢之世。常在夏至乘坐赤輪羽車，在雲中飛行，於五岳遊宴，試圖擊敗所有學仙之人。

北方黑帝大魔王：姓梟，名搖公。他頭戴橫天玄冠，穿玄羽之裘或青紗單衣，腰間繫上玄靈之綬虎頭肇囊。黑帝有時以人身蛇頭形象出現，也可化為青白二色之光。他領官屬五千人，住在鬱亶野清靜之世。常在冬至乘坐黑輪羽車，在雲中飛行，於五岳遊宴，試圖擊敗所有學仙之人。

西北方浩帝大魔王：姓光明，名法明。他頭戴橫天紫冠，穿紫羽之裘或白紗單衣，腰間繫上紫綬虎頭肇囊。浩帝有時化身為女子，頭髮盤結飛雲髻，手執金杖，也可化為紫白二色之光。他領官屬萬人，住在西北福德之野延賢之世。常在立冬乘坐紫輪羽車，在雲中飛行，於五岳遊宴，試圖擊敗所有學仙之人。

東南方昊帝大魔王：姓方生，名災展。他頭戴橫天黃冠，穿黃羽之裘或紫

紗單衣，腰間繫上黃綬虎頭肇囊。昊帝有時以人頭蛇身形象出現，口銜素綬，也可化為蒼綠二色之光。他領官屬六千人，住在東南元福田用賢之世。常在立夏乘坐黃輪羽車，在雲中飛行，於五岳遊宴，試圖擊敗所有學仙之人。

東北方倉帝大魔王：姓邵，名無量。他頭戴橫天青冠，穿青羽之裘或綠紗單衣，腰間繫上青綬虎頭肇囊。倉帝有時以龍頭人身形象出現，手執青節，也可化為火精。他領官屬九千人，住在福集都長安之世。常在立春乘坐蒼輪羽車，在雲中飛行，於五岳遊宴，試圖擊敗所有學仙之人。

西南方黃帝大魔王：姓五烏盈，名通勃。他頭戴橫天綠冠，穿綠羽之裘或黃紗單衣，腰間繫上綠綬虎頭肇囊。黃帝有時以一人九頭形象出現，手執金戟，也可化為紫皂二色之光。他領官屬七千人，住在西官延福鄉仁靜之世。常在立秋乘坐綠輪羽車，在雲中飛行，於五岳遊宴，試圖擊敗所有學仙之人。

為什麼要認識魔王名諱

《元始無量度人上品妙經》說，「魔王內諱，百靈隱名」，魔王的名稱是秘密，並非常人可以得知，只有那些成聖的修真之士，通玄究微，才能得悉箇中奧秘。

那麼，為何要花許多筆墨去描述魔王的名號和特徵？原來，五帝人魔其實是天界之王，他們之所以用魔王形相示人，為的就是測試修道之人。如果修行人悉破魔王真貌，魔王便會變回天王，助人飛升。其實魔眾是接受了任務，事緣元始天尊為了開化度人，敕旨招五帝大魔前來，於是五帝大魔率領魔兵，游行太空代天尊開化救度，選舉可以成仙的人（註5）。八

方大魔王的情況一樣，若修道人不知天魔之名，始終不能成仙。反之若知道魔王的名諱秘密，就可以神咒制伏之，魔王便會保舉該修行人成仙（註6）。

另一個秘密是魔王的歌音，如果修真之士懂得這歌音而誦唸百遍，他的名字便可載列於南宮（天帝的宮殿）；誦唸千遍，魔王便會前來迎接和保舉他；誦唸萬遍，修真者更可達到道法俱備境界，可以飛升太空了。故此魔王那隱秘之音，其實是「大梵之言」，非常玄奧難得（註7）。

為什麼魔王有資格擔當修真之士的監考官？皆因魔王是「玉清元氣」的子嗣，為元始天尊分氣（註8）。

魔王住處及職能

諸天魔王各有宮闕住處，宮闕為「三界魔王宮」或「五帝魔王宮」。除了五帝大魔及八方大魔，道藏裡還有其他魔王，他們各執其司：

北魔：掌管比校功德。
非魔：掌管比校罪業。
靈魔：掌管都較功德。
太玄魔王：掌管監舉度人。
制魔：掌管保舉度人。

除了一眾魔王，道教的觀念裡，成精的禽畜也可化為鬼魔，任意變形去迷惑眾生，為人添煩添亂。一些外魔更可化作真仙，惑亂善人。譬如宋朝時，有九天魔女幻化為婦人，走進成都青城丈人觀，她裝作燒香拜神，實則在作孽，使得觀內道士及善信盡散而去。得太乙雷書真傳的丈人觀主持

劉浩然，受太上老君之命，施法收伏九天魔女，把她鎖於八角井。後來應
宋高宗之詔入宮，刼治妖怪。及至一百五十歲，他才羽化飛升。可見在道
教世界裡，降魔伏妖與得道成仙頗有密切關係。

道教的魔

185

註1
《洞玄靈寶自然九天生神玉章經解》：「學道之士，魔試甚多，初歷子魔，後歷大魔，二試若過，魔王方能保舉，上登仙品。」《靈寶無量度人上品妙經》
說：「魔王監舉，無拘天門」。

註2
《上清靈寶大法》：「五帝大魔，萬神之宗。飛行鼓從，總領鬼兵，麾幢鼓節，游觀太空，自號赫奕，諸天齊功。」

註3
《靈寶無量度人上品妙經》記載：「青天魔王，巴元醜伯。赤天魔王，負天擔石。白天魔王，反山六目。黑天魔王，監醜朗馥。黃天魔王，橫天擔刃。」
青元真人《元始無量度人上品妙經注》卷中註曰
「青天魔王，青面朱髮，總統九醜，游空飛行，是名巴元醜伯，皆其隱諱也。若降炁人身，耗人肝氣，使人喜慍不常。
赤天魔王負荷元炁，撐主天地，力可摧山，是名負天擔石。耗人心氣，令人強暴。
白天魔王一首六目，力破山岳，游行三界，遏人善功，是名反山六目，耗人肺氣，令人食恣。
黑天魔王形質獰惡，監領小醜，性好殺伐，是名監醜朗馥。耗人腎氣，令人好殺。
黃天魔王常乘羽車，飛行三界，橫行天地，舉唱謠歌，惱亂學人，是名橫天擔力。耗人脾氣，令人災病。」

註4
《上清靈寶大法卷十》如此記載。

註5
《元始無量度人上品妙經》：「此五帝大魔，即天王也。現魔王相，魔試學人，人若識之，與彼俱化，其魔各現帝相，升度爾之。今以天尊開化度人，救攝之故，於是飛行鼓從，總領其下所轄魔兵麾幢鼓節，周游觀察於太空，自行號令，威靈赫奕，與諸天等倫，代天尊開化，游行乾坤，掃蕩諸魔，升度學人也。」

註6
《上清高上金元羽章玉清隱書經》：「故高上八帝君，以消魔神咒威而制之。學者徒知上皇至諱，不知天魔之名，仙道終不得成。有知魔王祕諱，而以神咒制之，魔王便自連名保舉，列言於玉清，仙道無不成也。」

註7
《靈寶無量度人上品妙經》：「此三界之上，飛空之中，魔王歌音，音參洞章。誦之百遍，名度南宮；誦之千遍，魔王保迎；萬遍道備，飛升太空⋯⋯此二章並是諸天上帝，及靈寶王隱祕之音，皆是大梵之言，非世上常辭，言無韻麗，曲無華宛，故謂玄奧，難可尋詳。上天所寶，秘於玄都，紫微上宮。」

註8
《上清靈寶大法卷之二十六》：「百魔者，九霄大魔帝君之王，與上帝元始同化。玉清元氣皇胄之胤嗣也。」

後記

本書探討的是「魔」，魔如果存在，他們以何種形式存在、用什麼手段害人、有多少信徒活動、有哪些魔族成員，筆者試圖回答這些問題，構成本書現時的面貌。

看到這裡，相信讀者已發現，本書的寫作風格，從第一章「魔蹤」，主要講故事；到最後一章「魔眾」，偏向追源溯本敘記魔族家譜；而中間一章「魔宗」，則傾向雜誌式手法，追蹤報導惡魔潛匿於宗教的身影。三者並不完全統一，這是刻意為之的。

故事總是引人入勝的，用三分一左右篇幅來說「魔故」，旨在讓人容易入口，不至於一翻書便見到大堆大堆有關惡魔的硬資料。但本書又不欲變為一本純粹的「鬼故事」（惡魔版），而是想勾勒人類主流神話、傳說、宗教上的「魔的世界」，故此又少不免疏理惡魔種種履歷。只敢說疏理，畢竟細緻的考據，早有各路宗教學者、歷史專家、神學家立論辯證，筆者只是在芸芸說法中摘取自己相信的一套，嘗試深入淺出把這些惡魔檔案呈現到讀者眼前。

本書無意站在哪個宗教立場上說話，在處理相關宗教資料時，已注意不被個別教派教義牽著鼻子走，因無意越俎代庖為人傳教。另一方面，本書亦絕非學術著作（當然不可能是，廢話），我亦無意否定一些超自然魔鬼事

跡的真實性，故此在一些問題的真偽上，筆者採取不置可否的態度：存而不論。

究竟附魔者是魔鬼所為抑或精神病、撒旦教是惡行昭彰還是為人誤解、「惡魔」是真神敵人或被抹黑的異教神靈，這一切，套句流行的觀點，請自行判斷，信不信由你。然而在行文之間我已隱然透露了個人立場，因此本書也不算純粹百科式、工具式圖書。

最後有些補遺，因篇幅所限，唯有記於此處：

關於地獄

作為一本講惡魔的專書，不談談地獄未免說不過去。但「地獄」這傳說領域本身也是一個大話題，不是三言兩語可說清。這裡想指出，本書借用動漫常見的名詞「魔界」，正好想強調，「魔界」不等於「地獄」。假如世上有惡魔，「魔界」也就是惡魔們的主要活動範圍吧。若說耶教文化底下的惡魔，地獄確是魔王的地盤；但若說佛、道，雖然這兩種宗教的觀念也有地獄，但其魔王卻另有住處（佛教天魔住在欲界第六天或魔天，道教的魔王住在「魔王宮」，印度羅刹住在楞伽島等等）。華夏地獄觀有閻王、有鬼差、有酆都鬼王，但他們皆稱不上是「魔」。因此，簡單來說：

魔界 ≠ 地獄 ≠ 陰間

關於剪裁

魔界成員數以百計千計，要全部囊括十分困難。坊間不乏一些圖鑑式惡魔大全，筆者也喜歡蒐集那類圖書（當中以日本人編寫的特別精美），但那樣處理難免每一個惡魔的篇幅較短，甚至蜻蜓點水式一句起兩句止。本

書希望為每一尊魔都講得深入些許,所以不得不作取捨。本書第三章所選的惡魔,我相信是較具代表性的,只要讀過此章,已能得知「魔界」的梗概。此外,以我淺薄的閱讀範圍,甚少有談惡魔的著作會述及「撒旦教派」的活動。畢竟惡魔不可見(或只是常人看不到),但人卻活生生可見,忽略魔鬼信徒這一環,實在不足以全面瞭解魔的所作所為。所以儘管篇幅有限,我還是決定列於書中。

關於下一本書

對於神秘文化專題,筆者較深入寫過的題材,計有殭屍、龍、傳說生物、巨人、巫術等等,談惡魔的是第四本。現正計劃把一部六年前的舊作大幅增訂內容及改寫,讀者如有意見不妨在筆者的facebook或mewe平台提議。

編撰一本書耗時甚久,在下一本面世以前,本人亦會在Youtube頻道「異界默示錄」(網址請看書封摺頁)分享一些神秘題材的觀點與資訊,雖然產量比起同類型節目實在少得可憐,還是希望大家多加支持。最起碼多些人收聽,才有多錄製的動力呀。

好了,囉嗦完,感謝閣下買了此書。下一本再見。

魔界默示錄

惡魔傳說

解密

作者 ：列宇翔
出版人 ：Nathan Wong
編輯 ：尼頓
設計 ：叉燒飯

出版 ：筆求人工作室有限公司 Seeker Publication Ltd.
地址 ：觀塘偉業街189號金寶工業大廈2樓A15室
電郵 ：penseekerhk@gmail.com
網址 ：www.seekerpublication.com

發行 ：泛華發行代理有限公司
地址 ：香港新界將軍澳工業邨駿昌街七號星島新聞集團大廈
查詢 ：gccd@singtaonewscorp.com

國際書號：978-988-74120-7-6
出版日期：2021年7月
定價 ：港幣98元

Seeker Publication